D0184557

de Bibliotheek
Breda

Het geheim van de snoepfabriek

PSSST, *er zijn nog veel meer* GEHEIM*-boeken!*

Het geheim van Zwartoog – Rindert Kromhout
Het geheim van de boomhut – Yvonne Kroonenberg
Het geheim van het verdronken dorp – Tomas Ross
Het geheim van de snoepfabriek – Selma Noort
Het geheim van het kasteel – Chris Bos
Het geheim van de raadselbriefjes – Rindert Kromhout & Pleun Nijhof (winnares schrijfwedstrijd 2003)
Het geheim van het donkere bos – Rindert Kromhout, Chris Bos, Martine Letterie, Tomas Ross
Het geheim van Anna's dagboek – Tamara Bos
Het geheim van de roofridder – Martine Letterie
Het geheim van het Kruitpaleis – Hans Kuyper
Het geheim van het spookhuis – Selma Noort & Rosa Bosma (winnares schrijfwedstrijd 2004)
Het geheim van de muziek – Haye van der Heyden, Hans Kuyper, Martine Letterie, Anna Woltz
Het geheim van de verdwenen muntjes – Rindert Kromhout
Het geheim van ons vuur – Anna Woltz
Het geheim van de struikrovers – Chris Bos
Het geheim van de smokkelbende – Harmen van Straaten
Het geheim van de maffiamoeder – Haye van der Heyden
Het geheim van kamer 13 – Hans Kuyper & Isa de Graaf (winnares schrijfwedstrijd 2005)
Het geheim van de toverklas – Haye van der Heyden, Martine Letterie, Harmen van Straaten, Anna Woltz
Het geheim van het boze oog – Helen Powel
Het geheim van het zeehondenjong – Erna Sassen
Het geheim van de vleermuisjager - Els Ruiters
Het geheim van de riddertweeling - Martine Letterie

Wil jij GEHEIM-nieuws ontvangen? www.geheimvan.nl

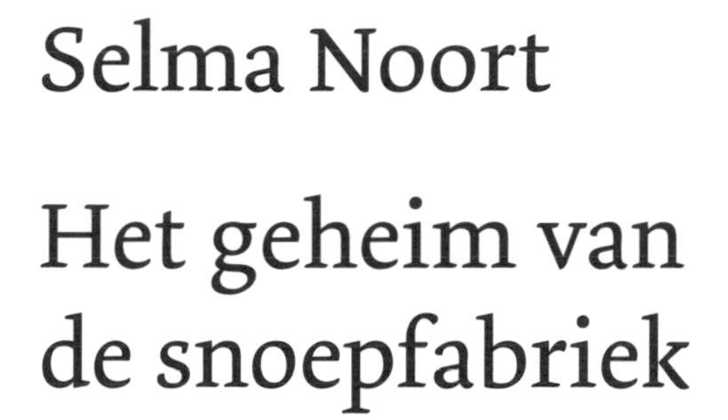

Selma Noort

Het geheim van de snoepfabriek

Met tekeningen van Saskia Halfmouw

LEOPOLD / AMSTERDAM

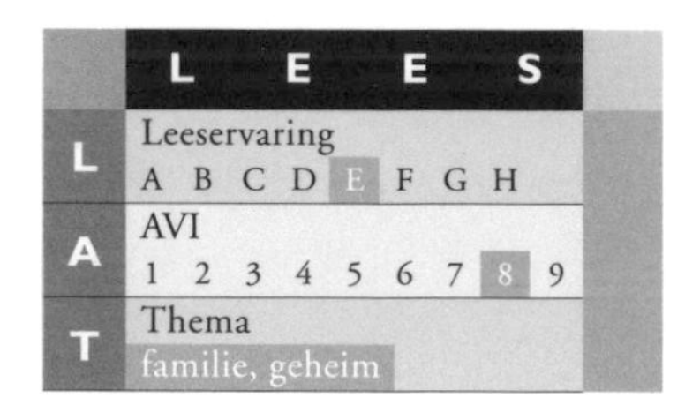

Vierde druk 2007

Omslagontwerp: Rob Galema

Uitgeverij Leopold, Amsterdam / www.leopold.nl

ISBN 978 90 258 3723 5 / NUR 282

Inhoud

Vanille, anijs, frambozen

Meda van Gent en haar moeder stonden stil achter de school. Er liep daar een zandpad langs een smal beekje. Door de harde wind golfde het water wild. Spettertjes waaiden op in hun gezichten.

'Ik wacht hier wel even,' zei Meda.

'Tot zo, schat,' zei Lieve. 'Ik neem aan dat het niet al te lang duurt.'

Meda draaide haar wang omhoog. Haar moeder boog zich voorover, duwde haar haren achter haar oren en drukte een warme kus op de wang. Toen stak ze het donkere schoolplein over en verdween om de hoek.

Meda hurkte met haar rug tegen de schoolmuur. Ze voelde in haar jaszak en haalde een paar knikkers tevoorschijn.

Aan de overkant van het beekje lag een hellende straat met een rij huizen. Achter een slaapkamerraam bewoog het gordijn. Een jonge man en zijn vader tuurden naar het meisje dat tegen de schoolmuur zat.

'Zij is het, dat kind!' zei de oudere man. 'Zij is nou dat dochtertje van die Albrecht van Gent. Dat was zijn vrouw die net het schoolplein overstak, haar moeder.'

'Zou zo'n kind er iets over weten? Over die oude snoepfabriek? En waar ze recepten en zo bewaren?' vroeg de jongeman.

'Kinderen van die leeftijd weten meer dan je denkt. Je kent dat gezegde toch: kleine potjes hebben grote oren. Loop haar eens achterna. Zie wat je te weten kunt komen. Als haar vader echt in de fabriek aan het prutsen is... Voor je het weet maken ze die beroemde snoepjes weer. Je weet wel, die zuchtjes. En mensen willen tegenwoordig weer dingen van vroeger. Als ze eenmaal horen dat die weer gemaakt worden, nou, dan kan onze fabriek wel sluiten. Want dan koopt iedereen die zuchtjes en van dat andere ouderwetse snoep. Dan moeten ze denken aan gezellig theedrinken bij oma in zo'n kneuterig keukentje met een geblokt kleedje op de tafel. En dan die snoepjes in een trommel met bloemetjes erop.'

'Is dat dan niet gezellig?' vroeg de jongeman.

'Sukkel!' De oudere man gaf hem een klap tegen zijn hoofd. 'Vroeger is voorbij – het is nu! En nu zijn er nieuwe snoepjes! De snoepjes die wij maken op de fabriek. Gewone sleutels en dropjes, apenkoppen en zure matjes. En mevrouw de directeur heeft gevraagd om die lui van Van Gent in de gaten te houden. Ze wil niet dat die ouwe snoepfabriek weer gaat draaien. Mevrouw de directeur vindt één snoepfabriek hier in de buurt meer dan genoeg. Of wou je soms je baan kwijt, onnozele hals!'

De jongeman wreef verschrikt over zijn hoofd. 'Nee, natuurlijk niet, pa.'

Beneden riep een schelle vrouwenstem. 'Arnold, het Rad van Fortuin begint op tv! Aááárnold!'

De man draaide zich om. 'Ik kom!' Stommelend liep hij de trap af.

De jongeman keek nog eens goed naar het meisje. Ze had rood haar. Ze droeg een groene jas met een capuchon en oranje gympen. Het zou niet moeilijk zijn om haar te herkennen. Het dorp was maar klein. Misschien was zij wel het enige meisje met rood haar.

Hij deed het gordijn weer netjes dicht en ging naar beneden. Hij trok zijn schoenen en zijn jack vast aan. Die moeder van dat meisje kon zo terugkomen. En dan moest hij klaarstaan.

De ouderavond was alleen voor ouders. Het ging over hun kinderen, daarom mochten die er niet bij zijn. Overal in de gang zaten ouders te wachten op hun beurt.

Lieve was precies op tijd bij groep vijf. Meda's juf

Natha wenkte haar naar binnen en gaf haar een hand.

Lieve mocht in Meda's schriftjes kijken. Er zaten niet veel stempeltjes en stickers in. Het langst keek ze in Meda's tekenschrift. De bladzijden waren gevuld met felle kleuren, rondjes, ovaaltjes. Vormen die leken op snoepjes, spekkies, zuurtjes en lollies.

Lieve glimlachte en keek op naar juf Natha, die haar keel schraapte.

'Een dromerig meisje,' zei juf Natha. 'Ik krijg nog niet zo goed hoogte van haar. Tenslotte zit ze hier nog niet zo lang op school. Maar ze is niet lastig in de klas en haar werk is in orde. Het is leuk voor haar dat ze veel omgaat met Stephan. Ze zou wat netter kunnen schrijven... Enne, ze mompelt nogal. Ik moet haar vaak vragen om iets nog een keer te zeggen.'

'O?' zei Lieve.

'Nou ja,' zei de juf. 'Misschien zou u er ook op kunnen letten. Eens aan haar kunnen vragen of ze wat duidelijker wil spreken. Had u verder nog vragen?'

Lieve schudde haar hoofd en gaf Meda's schriften terug. Juf Natha stond op en stak haar hand uit.

Lieve begreep dat het gesprek afgelopen was. Ze schudde de hand, pakte haar tasje en liep naar de deur. In de gang zaten een man en een vrouw te wachten. Ze keken op.

'Tot ziens,' zei Lieve nog. Maar juf Natha zei net iets tegen hen en hoorde haar niet.

Buiten liet ze zich door de wind terugduwen naar Meda. Die kwam overeind en lachte tegen haar.

'Je mompelt!' zei Lieve en ze stak haar hand naar Meda

uit. Meda stopte de knikkers terug in haar jaszak en pakte de hand van haar moeder.

'Zei ze dat ik mompel? En wat zei jij toen?'

'O.'

'Nou mama! Zei je dat echt?'

'Ze heeft wel gelijk. Je mompelt en mensen moeten toch verstaan wat je zegt?'

'Zei ze verder nog wat?'

Meda trok Lieve mee het schoolplein af, naar de Dorpsstraat. Ze gaf een kneepje in Lieves hand terwijl ze langs de snackbar liepen. Het licht was aan en het was er druk.

'Nee hoor, niks bijzonders. Dat het leuk is dat Stephan je vriendje is. En dat je een beetje een dromer bent, nou, dat wist ik al.'

Aan het eind van de Dorpsstraat stroomde de rivier, ver onder hen. Aan de overkant van de rivier lag een verlaten, rommelig terrein. Oude gebouwen stonden er zwart en raamloos in de schemering. Een half ingestorte brug leidde naar de overkant.

Ze begonnen te klimmen, Meda voorop. Ze greep zich stevig vast aan de koude leuningen van de oude brug. Onder haar zag ze in het water grote brokken steen en beton. Het water kolkte eromheen, en sleurde boomtakken en afval mee.

'Vóór je kijken!' zei Lieve achter haar. 'Hou je goed vast.'

Meda bereikte de overkant veilig, en draaide zich om. Lieve sprong al naast haar. 'Kom!'

Ze holden met de harde wind mee. Ze wisten precies

de weg tussen de gebouwen, de containers, de rotzooi.

Ze merkten niets van de jongeman die achter hen aan klom over de brug. Ze zagen hem niet toen hij achter hen aan holde. En ze zagen hem niet wegduiken toen ze even stilstonden.

Achterop het terrein lag een kleine fabriek. Het rook er naar karamel en vanille. Meda snoof en lachte naar haar moeder, die aan de hoge metalen deur morrelde. Toen de deur open schoot viel een brede baan licht naar buiten. Binnen klonk het gebrom van machines en het gerinkel van gereedschap.

'Albrecht!' riep Lieve terwijl ze naar binnen stapte. 'Joehoe! We zijn er!'

Meda stapte achter haar moeder naar binnen en duwde de deur dicht. Meteen was het gieren van de wind weg en rook het nog sterker naar karamel. En naar chocola.

Ze pakte Lieves hand weer vast. 'Volgens mij heeft papa de machine aan de gang gekregen.'

Opgewonden liepen ze langs kapotte machines en veelgebruikte werktafels. Het pad was netjes aangeveegd. Op de laatste tafel stond Albrechts lunchtrommeltje. Er lagen nog twee appels naast.

'Albrecht!' riep Lieve weer.

Meda's vader kwam tevoorschijn van achter de ronkende machine. Hij droeg een enorm wit schort, dat tot op zijn schoenen hing. Over het schort hing een geblokte theedoek. Terwijl hij naar hen toeliep, veegde hij er zijn handen aan af.

'Ik heb hem aan de gang!' Hij wees trots achter zich. De machine blonk. Hij was geolied en gesmeerd. Hij

Albrecht zuchtte. Een lange, bevende zucht. Toen maakte hij een sprong van blijdschap.

'Jawel!' riep hij. 'Jippie! Joechei!'

De jongeman rende het hele stuk terug naar het huis tegenover het schoolplein. Door de vitrages heen zag hij zijn ouders op de bank zitten. Ze staarden naar de televisie. Hij tikte tegen het raam. Ze keken op. De man stond op en slofte naar de voordeur.

De jongeman glipte naar binnen. 'Ze gaan de fabriek echt weer opstarten, ik denk dat ze al snoep aan het maken zijn,' zei hij hijgend. 'Ik rook vanille, anijs, frambozen...'

De oude man deed de deur achter hem dicht.

'Dat dacht ik wel,' zei hij. 'Morgen zeggen we het meteen tegen mevrouw de directeur.'

Vroeger

Meda zat op de achterbank en zoog op nog een babbelaar.

Nadat Albrecht de deur van de fabriek zorgvuldig op slot had gedraaid, reden ze met z'n drieën in de bestelwagen naar huis.

Ze namen niet de snelste weg over de kapotte brug, daar kon alleen nog maar iemand overheen klauteren. Ze gingen gewoon over de keurige nieuwe autoweg, zoals het hoorde, aan de achterkant van het fabrieksterrein. Over de nieuwe brug, het hele eind om, twee kilometer extra om in de Dorpsstraat te komen.

In de auto maakte dat niemand iets uit. Albrecht zong en glunderde. Lieve kriebelde hem plagend in zijn haar. Meda was blij en moe tegelijk. Het was al helemaal donker buiten en allang haar bedtijd geweest.

Ze reden de lange bochtige Dorpsstraat in. Voorbij de snackbar en heuvelopwaarts langs de garage van Stephans vader. Toen door de buitenwijken en langs een paar akkers. Ze sloegen een smalle weg in.

Aan het einde van de smalle weg stonden twee pilaren met stenen leeuwen erop. De zwarte toegangshekken stonden wijdopen.

Albrecht stuurde tussen de hekken door. De weg maakte een bocht en ging over in een zandpad met aan beide kanten hoog onkruid.

Aan het einde van dat pad stond hun huis. Van buiten leek het op een hoge, houten, ongeverfde schuur. Maar binnen was het wit geschilderd, het was er fris en schoon. Voor de ramen en de tuindeuren hingen gordijnen. Op de grond lagen bonte kleden. De stoelen om de tafel had Lieve rood geverfd. En op de tafel stond een grote kan vol wilde margrieten.

Meda's huis was vroeger een schuur geweest. De schuur van een prachtig landhuis, dat er nu niet meer was. Het had op het veld ernaast gestaan, met veel ramen, een hoge schoorsteen en een prachtig bordes.

Meda kon zich het huis goed herinneren. Haar opa en oma hadden er gewoond en haar vader was er opgegroeid. Ze was er vaak op visite geweest. Ze had er verstoppertje gespeeld met haar nichtjes en neefjes. Oom Isak had hen nat gespoten met de tuinslang. Ze hadden gegeten op het grasveld: pannenkoeken, barbecue, stokbrood. Alle ooms en tantes waren er dan. Er hing een schommel aan de rode beukenboom voor het huis. Het was heerlijk om daar te schommelen in de schaduw.

Nu was het huis weg en opa woonde in het verzorgingstehuis. Het was een lang verhaal, dat Albrecht Meda vaak vertelde.

'Toen ik een kleine jongen was, was de snoepfabriek prachtig. De machines waren glimmend gepoetst. De mensen die er werkten hadden het goed naar hun zin. Opa liep er trots rond en rookte dikke sigaren. En wij mochten altijd van de snoepjes proeven,' Albrecht glimlachte bij de herinnering.

'Toen ik groot was ging ik het huis uit en ik trouwde met mama. Later werd oom Isak directeur van de snoepfabriek. Dat was net in een moeilijke tijd. Er werden moderne fabrieken gebouwd, met betere machines. Die konden goedkopere snoepjes maken.'

Meda knikte naar Albrecht dat ze het begreep. 'En toen?' vroeg ze.

'Tja, meisje van me, zo volgde het een op het ander. Het ging niet goed met de fabriek. Oom Isak ging teveel drinken. En toen gebeurde het allerergste. Hij verloor het recept voor het beroemdste snoepje van de fabriek: het zuchtje. En dat was nou juist het lievelingssnoepje van iedereen.'

Albrechts ogen stonden verdrietig. 'De mensen kochten niet genoeg van de andere snoepjes. De fabriek kwam stil te liggen. Opa en Isak woonden nog in het grote huis...'

Het was even stil. 'Tot opa vorig jaar van de trap viel en zijn heup zo lelijk brak, weet je nog?'

Meda knikte. 'Hij kon niet meer leren lopen. Daarom ging hij in een verzorgingstehuis wonen.'

'Zo ging het.' Albrecht zuchtte. 'En oom Isak bleef alleen achter in het grote huis. Hij hield niet van alleen zijn. Hij begon nog meer te drinken dan hij al deed. Afgelopen herfst kwam hij op een dag dronken uit het café. Hij wilde geen taxi bestellen...'

'En hij reed tegen een boom en was dood,' zei Meda. En ze aaide haar vader over zijn grote handen.

Meda kon zich de dag van oom Isaks begrafenis heel precics herinneren. Hoe ze door het grote huis liep. Van de kamer waarin de piano stond naar de kamer vol oud speelgoed.

Toen Albrecht Meda kwam zoeken, vond hij haar in de bijkeuken. Ze probeerde door de gleuf van een roze spaarvarken te kijken.

'Kijk, dat stond hier tussen die blikken op de plank,' zei ze.

Albrecht bukte zich om haar gezicht beter te kunnen zien. 'Wat een vreemde dag, hè?' zei hij.

'Dit varkentje was van oom Isak. Zijn naam staat erop, hier, zie je het? Er zit geen geld in.' Meda schudde met het varkentje. Er ritselde iets.

'Papa, mag ik dit varkentje hebben?'

Albrecht vond het goed. Ze gaf hem een hand en liep met hem mee naar buiten. Lieve stond bij de vijver in het water te turen. Ze keek op toen ze hen hoorde komen. Meda gaf haar het varkentje, dat veilig in de grote schoudertas van haar moeder verdween.

Al die maanden had het trouw op een plankje boven Meda's bed gestaan, en nu in haar nieuwe kamer in het nieuwe huis stond het er weer.

Smakwaffels en slikslobbers

Meda vond het jammer dat ze haar tanden moest poetsen toen ze naar bed ging. De smaak van de babbelaar verdween ermee. Lieve gaf haar een nachtkus. 'Welterusten meiske, tot morgen.' En haar voetstappen roffelden de trap af.

'Welterusten!' riep Meda nog.

Ze draaide zich op haar zij. Het was fantastisch dat er nu al een machine gemaakt was. Misschien zou Albrecht alle machines kunnen repareren. Meda had al veel ideeën voor nieuwe snoepjes die hij dan zou kunnen maken. Ze tekende snoepjes. Ze droomde van snoepjes. Ze schreef ideeën voor nieuwe snoepjes in haar dagboek en ze bedacht er grappige reclames voor. Namen voor die nieuwe snoepjes bedenken vond ze het moeilijkst.

'Smekbekkies?' zei Stephan de volgende dag. Ze zaten op het schoolplein op het klimrek. 'Smakwaffels? Slikslobbers? Jatpakkers? Smulsmurrie?'

Meda keek hem met open mond aan. 'Die moet ik opschrijven!'

De bel ging. Ze sprong van het klimrek. Stephan rende achter haar aan naar binnen. Tijdens de lessen keek Meda een paar keer naar hem om. Hij had een veeg smeer op zijn wang. Zijn handen waren zwart. Hij was altijd aan het prutsen in de garage van zijn vader. Als hij lachte kon

ze zijn nieuwe grote tanden zien. En aan zijn ogen kon ze zien dat hij vol goede ideeën zat.

Juf Natha schreef een woord op het schoolbord.

'Meda, weet jij wat er moeilijk is aan dit woord?'

'Eh... Misschien dattuteh... Het eh... met een korte ei is?'

'Jee kind, mompel toch niet zo. Ik versta er geen woord van.'

'Dat het met een korte ei is?' Meda riep het harder dan ze bedoelde.

Maar juf Natha moest erom lachen. 'Zo hoor ik je tenminste, Meda!' zei ze. En het antwoord was nog goed ook.

Meda's gedachten dwaalden alweer af naar de fabriek en het oude huis. Na de begrafenis hadden de broers en zussen van Albrecht ruzie gekregen, dat had haar vader haar ook verteld. Ze wilden allemaal het prachtige landhuis hebben. De één om in te wonen, de ander om het te verkopen. De derde dacht dat het wel een hotel kon worden. De vierde zei dat het precies zo moest blijven als het was.

Albrecht had geen zin om mee te doen met die ruzie. 'Geef mij de schuur maar, dan ben ik tevreden,' zei hij voor de grap.

Die zomer ontstond er brand in het grote huis. Het brandde af, er bleef niets van over. Niemand begreep hoe het was gebeurd.

'Jij mag het land wel hebben,' zeiden zijn broers en zussen nu tegen Albrecht. 'Neem alles maar. Die vervallen snoepfabriek en dat vreselijke zwartverbrande land. En die schuur van je.'

Albrecht schoot in de lach. 'Die schuur is toch niet echt van mij?'

'Je wilde hem toch hebben? Dat hebben we ook zo geregeld.'

Albrecht twijfelde nog, maar het kwam door Meda dat het uiteindelijk doorging. 'Jij hoeft maar aan een machine te ruiken, papa,' zei ze vaak. 'En je weet wat hij mankeert, dat vind ik heel knap van jou.' En dan kuste ze hem op zijn donkere prikwangen.

Zo begonnen ze te dromen over de oude snoepfabriek en over de schuur. De ooms en tantes hadden toch gezegd dat ze alles mochten hebben? Lieve had wat geld gespaard. En Albrecht had wat geld gespaard. En Meda had ideeën genoeg voor snoepjes.

Ze zagen zichzelf al werken aan de machines. Die zouden weer draaien en brommen en ronken. Er zouden weer snoepjes van de lopende banden vallen in doosjes en zakjes. Het zou er weer ruiken naar anijs en kaneel, naar vanille en frambozen. Ze zouden de letters boven de deur opnieuw schilderen.

VAN GENT SNOEPFABRIEK

En ze zouden de hele dag snoepjes proeven...

Albrecht belde zijn broers en zussen op.

'We meenden het! Jij mag echt alles hebben,' zeiden ze. 'Wij willen geen ruzie meer maken. En misschien kun jij er nog wat mee beginnen. Jij bent handig met machines.'

'We moeten dan wel verhuizen,' zei Albrecht opgewonden tegen Meda en Lieve. 'Ik kan de schuur ombouwen tot een huis. Ik laat de resten van het oude huis opruimen. Ik ga vooruit en laat jullie komen als het bewoonbaar is. Wat vinden jullie ervan?'

Ze verhuisden die volgende zomer.

Albrecht had een vrachtwagen gehuurd. Op de plek waar het oude huis had gestaan, woof nu hoog onkruid. Er kwamen een paar ooms en tantes. Iedereen hielp sjouwen. Meda hielp haar bed op haar nieuwe kamertje zetten. Ze schoven met meubels. Lieve naaide gordijnen en verfde de houten stoelen. En na de zomervakantie ging Meda naar de dorpsschool.

Iedere dag verdween Albrecht naar de fabriek. Hij onderzocht de machines. Hij bekeek de tekeningen waar de machines opstonden. Hij belde het hele land af om onderdelen te bestellen. Lieve maakte eerst het huis in orde. Toen ging ze hem helpen. Ze ruimde op zo goed ze kon en zocht oude snoeprecepten uit. Ze rekende en maakte aantekeningen. Ze bestelde spullen die nodig waren om snoep te maken. Ze liet de naam VAN GENT op zakjes en doosjes drukken. En toen de eerste machine gerepareerd was, konden ze babbelaars maken.

Waar blijf je nou?

Na schooltijd renden Stephan en Meda naar de kapotte brug. Het motregende en de brugleuning was glibberig. Meda klemde zich met twee handen vast en was snel aan de overkant. Stephan klom tot halverwege, langzaam en angstig, en hield toen stil.

'Niet naar beneden kijken als je het eng vindt,' riep Meda vanaf de kant.

Stephan riep iets terug. Ze kon het niet verstaan door het geraas van de rivier. 'Kom nou!' Ze wenkte hem.

Hij schuifelde verder naar haar toe. Ze pakte zijn arm vast toen hij eindelijk op de kant stapte.

'Ik zei: zou je dood zijn als je naar beneden viel?'

Meda tuurde naar de rivier beneden. Een grote boomstam lag dwars tussen een paar stenen. Het water beukte ertegen.

'Alleen als je heel hard met je hoofd op een steen valt,' zei ze aarzelend. 'Als je in het water valt is het niet zo erg, denk ik.'

'Dan word je meegesleurd,' zei Stephan. Hij huiverde. 'Waarom ga je niet gewoon over de nieuwe brug naar je vader toe?'

'Omdat dat twee kilometer omlopen is!' Meda blies ongeduldig. 'Pfff! Wie gaat er nou twee kilometer omlopen als je ergens dichtbij bent! Je kunt je toch stevig vasthouden? Lieve en ik gaan altijd zo. Je moet gewoon rustig en voorzichtig doen.'

Ze liep het terrein op. Meda rook vanille. 'Ruik je dat?'

Stephan snoof. 'Snoep?'

'Vanille!' Meda begon te huppelen. Haar rode haar danste op haar rug.

Stephan holde achter haar aan. 'Denk je dat ik zo'n babbelaar mag proeven?'

'Tuurlijk!' Meda lachte en begon te rennen. 'Wie er het eerst is, goed?'

'Dat is niet eerlijk, dat doe jij nou altijd. Je neemt eerst een voorsprong en dan zeg je pas dat het een wedstrijd is!'

Stephan begon te rennen. Hij was niet echt verontwaardigd. Hij won toch wel, al nam Meda een voorsprong. Stephan kon het hardst rennen van alle kinderen in de klas.

De jongeman die hen achtervolgde kon hem in elk geval niet bijhouden. Hij bleef na een poosje puffend staan en keek de kinderen na. Er was dus al snoep klaar. Dat meisje van Van Gent zei immers dat dat joch er wel een mocht proeven...

Meda bleef ook staan, hijgend. In de verte trok Stephan de deur van de fabriek open. Hij zwaaide. 'Ik ben eerst!' schreeuwde hij voor hij naar binnen verdween.

Dit was een goede kans. Nu was dat kind alleen. De jongeman liep naar het meisje toe. Om haar niet te laten schrikken begon hij een deuntje te fluiten. Een smoesje dat verklaarde waarom hij daar was, had hij al bedacht. Hij slenterde een beetje en schopte over de grond alsof hij iets zocht in het steengruis.

Meda keek verbaasd om. Ze was nog nooit iemand tegengekomen op het fabrieksterrein.

'Hoi, heb je soms een fietssleutel gevonden?'

'Een fietssleutel?' herhaalde ze ongelovig.

'Ja, eh... Met een oranje sleutelhanger eraan. Een sinaasappeltje,' verzon de jongeman.

Meda haalde haar schouders op. 'Wanneer ben je die verloren?'

'Gisteren. Ik kwam op die lekkere lucht af. Wat is die geur? Poedersuiker of zo?' Hij deed expres alsof hij het niet wist.

Meda lachte naar hem. 'Ja, lekker ruikt het, hè? Vanille. En een beetje... Eh, karamel.'

'Komt die lekkere geur uit de snoepfabriek?'

'Ja, mijn vader knapt de machines op. En als ze allemaal weer goed zijn gaan we snoepjes maken, net als mijn opa vroeger.'

'Dus jij bent een kleindochter van de oude meneer Van Gent?'

'Ja,' zei Meda trots. 'En ik mag nieuwe snoepjes verzinnen als onze fabriek weer echt opengaat. Nu maakt mijn vader ook al snoepjes, hoor, maar dat is nog om alles uit te proberen. Dat zijn proefsnoepjes. Wil je er ook een proeven? Je mag wel even mee naar binnen.'

De jongeman kreeg een kleur. 'Eh, nee, ik moet naar huis. Ik kom nog wel eens terug om naar mijn fietssleutel te zoeken. Zeg, trouwens... Ik hoorde van mijn vader dat jouw opa vroeger hele lekkere snoepjes maakte. Zuchtjes heetten ze. Heb jij wel eens zo'n zuchtje geproefd? Ik zou er best eens een willen proeven. Ze waren toen heel beroemd, die zuchtjes van Van Gent.

Meda keek de jongeman aan. In haar voorhoofd, recht boven haar neus, verscheen een diepe denkrimpel. 'Ik geloof dat dit ook de lievelingssnoepjes van mijn vader waren. Maar ik heb ze nog nooit geproefd. Toen ik werd geboren wisten ze al niet meer hoe ze gemaakt moesten worden. Mijn oom Isak, die was toen directeur...'

Nu kreeg Meda een kleur. Maar de jongeman keek haar geduldig aan.

'Nou ja, die was het geheime recept kwijtgeraakt.'

'O, wat jammer. En jullie hebben het nooit teruggevonden?'

'Nee.' Spijtig schudde Meda haar hoofd. 'Maar we gaan andere snoepjes maken die ook heel lekker zijn, hoor.

Mijn vader heeft al babbelaars gemaakt. Daar lust je er wel tien van achter elkaar.'

De deur van de fabriek ging weer open. Stephan stond in de deuropening. 'Waar blijf je nou?' schreeuwde hij. Wantrouwig keek hij naar de jongeman. Die kreeg ineens haast.

'Ik moet gaan. Dag,' zei hij. Snel begon hij van haar weg te lopen in de richting van de kapotte brug.

'Als ik je fietssleutel vind, dan zal ik hem aan je geven! Waar woon je eigenlijk?' riep Meda hem achterna.

Hij leek haar niet te horen. Zijn snelle looppas ging over in een drafje.

Meda haalde haar schouders op. Ze draaide zich om naar Stephan, die nog in de deuropening stond. 'Ik kom eraan!' riep ze.

Verrukkelijke zuchtjes

Albrecht was diep in gedachten toen ze binnenkwamen. Stephan had een poos achter de deur op Meda staan wachten. Hij was nog niet verder de fabriek ingelopen. Toen ze samen plotseling voor Albrecht stonden, sprong die geschrokken achteruit. Maar even later kon hij er wel om lachen.

'Jij komt zeker een babbelaar proeven?' zei hij tegen Stephan.

'Stephan weet hele goeie namen voor nieuwe snoepjes!' riep Meda.

Ze gingen aan de grote werktafel zitten. Albrecht schonk koffie voor zichzelf in en limonade voor Stephan en Meda. Er stond een oude jampot op de tafel, vol babbelaars. Hij schoof de pot naar Stephan en Meda.

'Neem er maar een paar.'

'Smekbekkies, smakwaffels, slikslobbers, jatpakkers, smulsmurrie,' somde Stephan zijn snoepnamen op.

Albrecht verslikte zich bijna in zijn koffie. 'Smulsmurrie!' riep hij lachend. En toen: 'Welke kleur moet dat volgens jullie zijn?'

'Groenig,' zeiden Meda en Stephan tegelijk.

'Dat dacht ik ook meteen,' zei Albrecht peinzend. 'En een beetje kauwgomachtig. Lekker plakkerig en misschien sissend op je tong... Hmmm, smulsmurrie.'

Stephan lachte breed. 'Jullie babbelaars zijn heel lek-

ker,' zei hij. 'Lekkerder dan die van de gewone fabriek. Maar ik weet niet precies wat er anders aan smaakt. Deze smaken geloof ik iets meer naar chocola.'

'Naar koffie,' zei Meda. 'Papa gebruikt het oude recept van vroeger en dat is anders dan...'

De metalen deur sloeg hard en galmend. 'Joehoe!' Dat was Lieve. 'Is daar iemand?'

'Wij zijn hier!' riep Meda.

'Hier!' riep Albrecht.

Lieves voetstappen kwamen snel dichterbij en even later stond Lieve bij de tafel. 'Hallo Meda, hallo Stephan.'

Ze smeet een map met papieren voor Albrecht op tafel. 'Kom ik daar bij de bank met een prachtig plan, een map vol recepten en al mijn berekeningen...'

'En?' vroeg Albrecht. Hij keek ineens heel ernstig. Meda en Stephan zwegen afwachtend. De bank moest Albrecht en Lieve geld lenen voor de fabriek. De bank was belangrijk.

Lieve schudde haar hoofd. 'Ze praatten alleen maar over zuchtjes. Die verrukkelijke zuchtjes, zuchtjes en nog eens zuchtjes!'

Albrecht wreef met zijn handen over zijn gezicht. 'Daar was ik al bang voor.'

Meda en Stephan keken elkaar aan. Lieve plofte neer op een van de stoelen. Albrecht vroeg verder niets. Daarom durfde Stephan wel iets te zeggen.

'Wat zijn dat, zuchtjes?' vroeg hij.

Lieve zuchtte. 'Dat waren snoepjes, zacht en licht als een veertje. Rond en bijna plat en roomwit. Met een beetje geschaafde kokos erop, volgens Albrecht.'

'Of het was gepofte rijst met een laagje vanille, zoiets,' zei Albrecht.

'Maar dat is toch heel iets anders?' zei Meda.

'Ja, ja, dat weet ik ook wel.' Albrecht stond op en begon te ijsberen.

'Waren dat lekkere snoepjes?' vroeg Stephan verder.

'Ik heb er nog nooit een gegeten,' zei Lieve. 'Maar volgens die mensen van de bank waren ze verrukkelijk. Ze wisten het nog precies. Het waren hun lievelingssnoepjes vroeger toen ze klein waren en opa hier nog directeur was. Ze trakteerden ze op school als ze jarig waren. Ze snoepten ze stiekem in bed. Ze kozen ze uit in het snoepwinkeltje als ze geld hadden. En ze pikten ze uit de trommeltjes van hun moeders en oma's. Een zuchtje smolt op je tong voor je erop kon bijten. En de smaak ervan bleef nog lang in je mond hangen.'

'Nou, zo'n zuchtje zou ik ook wel eens willen proeven,' zei Stephan. 'Gaan jullie dat snoepje weer maken?

'Dat vroegen ze bij de bank dus ook allemaal,' zei Lieve. 'Als we weer zuchtjes gaan maken lenen ze ons het geld, zeiden ze. Precies zoveel als we nodig hebben. Ze hebben wél vertrouwen in die zuchtjes! Niemand heeft ooit nog ergens zulke lekkere snoepjes gemaakt, zeiden ze. Iedereen zal ze weer willen proeven. Want iedereen kent die verhalen van vroeger over de zuchtjes wel.'

'En als we ze niet gaan maken?' Albrecht stond stil bij een van de machines. Met zijn platte hand gaf hij er een galmende klap tegen. Zijn gezicht zag er plotseling erg moe uit.

'Dan lenen ze ons het geld niet,' zei Lieve zacht.

'Dan zit er maar één ding op,' zei Meda. Haar vader en moeder zaten verslagen over hun bekers koffie gebogen. Nu keken ze op.

'We moeten die zuchtjes weer gaan maken.'

Albrecht wilde iets zeggen maar Meda praatte snel verder. 'We moeten het recept zoeken.'

'Het is verbrand natuurlijk, zoals alles van vroeger verbrand is in het grote huis,' zei Albrecht moedeloos.

'Maar het was al heel lang voor de brand kwijt. Alle ooms en tantes hebben het hele huis al afgezocht naar het recept. En niemand vond het. Misschien lag het niet in het huis.'

'Wat bedoel je?' zei Stephan.

Albrecht en Lieve keken Meda oplettend aan.

'Nou, misschien is het hier ergens, in de fabriek.'

Ze keken om zich heen, alsof ze verwachtten het meteen te zien liggen.

'Hier hebben ze ook gezocht hoor,' zei Albrecht. 'Reken maar. Al het personeel en de schoonmakers. Als het hier lag zouden ze het allang gevonden hebben.' Maar zijn stem klonk onzeker. 'We kunnen natuurlijk nog wel kijken.'

'Ja, en misschien vinden we oude bestellijstjes met de ingrediënten erop. Dan kunnen we proberen om ze weer te maken!' Meda sprong al op. 'Jullie zoeken op de hoge plekjes, zoeken wij op de lage plekjes, oké?'

De jongeman en zijn vader stonden in een groot kantoor voor een enorm bureau. De vrouw erachter keek hen koeltjes aan door een smalle, zwartomrande bril die op het puntje van haar neus stond.

'Wel?' vroeg ze bits.

De oudere man gaf de jongeman een ongeduldige por tussen zijn ribben.

'Ik heb het meisje aangesproken, mevrouw de directeur,' zei de jongeman haastig. 'Ze willen inderdaad weer snoep gaan maken, haar vader bedoel ik. Albrecht van Gent. Er is al een machine die weer werkt. Op het moment kunnen ze alleen nog maar babbelaars maken, heb ik begrepen.'

'Ja! En die zuchtjes?'

'Het meisje zegt dat ze het recept kwijt zijn.'

'Ik heb indertijd wel eens verhalen gehoord over die andere zoon Isak die toen directeur was. Hij was aan de drank. En in die tijd stopte de Van Gent fabriek met het maken van die zuchtjes. Waarom ze stopten is nooit bekend gemaakt.'

'Het zou kunnen dat het recept toen inderdaad is kwijtgeraakt, mevrouw,' zei de oudere man onderdanig.

'Ja, dat zou goed kunnen,' herhaalde de vrouw peinzend. 'Het zou inderdaad echt kwijt kunnen zijn. En dat zou betekenen dat de bank Albrecht van Gent geen geld zal lenen.'

Ze keek op. Ze zag aan de gezichten van de mannen tegenover haar dat ze haar niet helemaal volgden.

'Die zuchtjes waren zo beroemd, iedereen kende ze. Iedereen vond ze lekker. Als ze weer zuchtjes maken, zullen ze slagen. Zonder die zuchtjes is dat nog maar de vraag. Zeker, ze maken goede babbelaars. Maar er zijn meer fabrieken die babbelaars maken. Ze maken vast heerlijke snoepjes, maar ook dat is niet bijzonder genoeg. Een bank leent niet zomaar geld uit.'

'Dan hoeven we dus nergens over in te zitten. Onze fabriek blijft dus gewoon de grootste snoepfabriek!' De oudere man keek haar opgelucht aan.

'Behalve als ze dat recept voor die zuchtjes toch nog ergens vinden. Of als ze het toch hebben maar het niet aan dat dochtertje hebben verteld.'

'Mag ik wat vragen... Als ze die zuchtjes nou toch kunnen maken, moet onze fabriek dan sluiten? Wij maken toch hele andere snoepjes? Is er echt geen plaats voor twee snoepfabrieken?' De jongeman boog zich iets over het bureau.

'Als die snoepfabriek van Van Gent weer snoep en zuchtjes maakt, blijft onze fabriek heus ook wel draaien...' zei de vrouw langzaam.

'Nou, wat geeft het dan?'

Ineens stond de vrouw op. Ze zag wit en bracht haar neus tot bijna tegen de neus van de jongeman.

'Maar dan verdien ik minder! En ik wil niet minder verdienen. Ik wil mijn grote auto houden en mijn prachtige huis! Ik wil mijn butler houden en mijn dienstmeisje! Ik wil al mijn mooie kleren houden en mijn kasten vol schoenen! BEGRIJP JE MIJ GOED?'

De jongeman deinsde verschrikt achteruit. Zijn vader gaf hem weer een klap tegen zijn hoofd. 'Malloot! Nu maak je mevrouw de directeur ook nog eens boos. En ze heeft al zoveel zorgen! Onnozele sukkel die je...'

'Hou je mond!' De vrouw was weer gaan zitten. Ze

keek priemend naar de oudere man, die onthutst zweeg, en naar de jongeman die verontwaardigd over zijn achterhoofd wreef.

'Als ze dat recept al hebben gevonden, hebben ze het vast ergens verstopt. En als ze het nog niet hebben, dan zijn ze het aan het zoeken. Want de bank zal hen nu wel verteld hebben dat ze het zonder die zuchtjes wel kunnen vergeten. Zorg dat jullie sneller zijn. Als er een recept is, zorg dan dat jullie het eerst vinden. En maak nu dat jullie weg komen! Ga zoeken!'

De mannen draaiden zich om en botsten tegen elkaar om zo snel mogelijk het kantoor uit te kunnen.

Altijd is een lange tijd

'Kom, we gaan naar huis, we gaan eten,' zei Lieve.

Meda stond voor een van de nog vuile, kapotte machines en voelde in een kleine opening.

'Wacht even, ik heb hier iets... Ze probeerde haar arm nog verder naar binnen te werken. 'Au... Ja, ik heb het vast.' Heel voorzichtig trok ze haar arm terug. Lieve was bij haar komen staan. Ze opende haar hand.

'Een oud muizennest!' Lieve schoot in de lach.

Meda keek beteuterd. 'Nou ja,' mompelde ze. Ze liet het muizennest vallen en sloeg haar armen om Lieve heen.

'Als we dat recept niet vinden moet papa gewoon proberen om ze weer te maken,' zei ze. 'We moeten het proberen, anders is alles voor niets geweest.'

'Wij kunnen hem helpen, met proeven en zo,' zei Lieve. 'En opa herinnert zich misschien nog van alles waar we wat aan kunnen hebben. We zullen hem morgen halen, dan kan hij bij ons eten. Dan bak ik pannenkoeken, die vindt hij zo lekker.'

Ze liepen terug naar de werktafel waar de koffiebekers stonden.

'Stephan! Albrecht! Genoeg gezocht voor vandaag, we gaan naar huis. Het is tijd om te eten!' Lieves stem schalde door de fabriek.

'Ik kom!' Dat was Albrechts stem in de verte.

Stephan kwam al aan gehold. Hij zag grijs van het stof. 'Kijk eens wat ik heb gevonden!'

Meda en Lieve bogen zich over zijn geopende hand. 'Een halve cent, dat is een oudje,' riep Lieve. 'Die is echt nog uit de tijd van opa! Die moet je goed bewaren, jongen. Die muntjes zijn nu heel bijzonder.'

'Ja, en nog meer omdat we nu euro's hebben,' zei Stephan glunderend. Hij stopte het muntje diep weg in zijn broekzak.

Albrecht kwam ook aangelopen. 'Ik heb een heleboel muizennesten gevonden en ik zag ook een muis,' zei hij. 'Hij rende hard weg toen ik eraan kwam. Ik heb wel een papiertje gevonden maar er staat geen recept op.'

Hij trok een verfrommeld en vergeeld papiertje uit zijn broekzak en stak het Lieve toe. Die streek het zo goed mogelijk glad. Het papiertje was beschreven met ouderwetse schuine letters van blauwe inkt.

'Een bestellijst uit 1952,' zei Albrecht. 'Morgen komt opa bij ons eten. Dan zal ik hem dat lijstje laten zien, je weet maar nooit.'

Terwijl Albrecht de fabriek afsloot, liet Stephan buiten zijn halve cent nog eens aan Meda zien. Pratend liepen ze naar het bestelwagentje.

Albrecht zette Stephan af in de Dorpsstraat bij de garage van zijn vader. Lieve draaide haar raampje wijd open.

'Vraag even aan je vader of je morgen pannenkoeken bij ons mag blijven eten!' riep ze Stephan achterna.

Stephan ging naar binnen en kwam weer naar buiten. 'Het mag!' riep hij.

Albrecht gaf gas. Meda zwaaide door het achterraampje tot ze Stephan niet meer kon zien.

Thuis floot een merel in het nieuwe rode beukenboompje dat Meda en Lieve hadden geplant op de plaats waar vroeger het grote huis stond.

'Als jij kinderen hebt, hangen wij hier weer een schommel in, net als vroeger. Dan is er weer een rode beukenboom om onder te picknicken en in de schaduw te zitten,' zei Albrecht.

'Maar we gaan niet weer zo'n groot huis bouwen zoals er vroeger stond, hè?' vroeg Meda.

Albrecht ging op zijn hurken voor haar zitten en gaf haar een kus. 'Nee, meisje van me, sommige dingen doe je niet over.'

'Dat vind ik niet erg, ik vind ons schuurhuis juist heel gezellig. Ik kan jullie altijd horen praten als ik in bed lig.'

'Maar 's avonds praten wij altijd over geheime grotemensenzaken!' zei Albrecht zogenaamd geschrokken.

Meda lachte. 'Ik hoor alleen jullie stémmen maar. Niet wát jullie zeggen! En soms hoor ik het als jullie de radio of de televisie een beetje hard aanhebben.'

Albrecht kwam overeind. 'Ik vind ons schuurhuis ook heel fijn. Het past bij ons. En het is niet erg dat er nu bloemen en grashalmen groeien waar vroeger het grote huis stond. Toen alles nog zwart was en er overal nog puin lag, toen vond ik het vreselijk. Maar zoals het nu is, is het goed. Kom, we gaan Lieve helpen met het eten.'

Meda legde haar hand in die van Albrecht. Samen lie-

pen ze naar het huis. Voor de deuropening keek Meda naar Albrecht op.

'Papa, als we die zuchtjes niet kunnen maken dan verzinnen Stephan en ik gewoon nieuwe snoepjes,' zei ze. 'Dat kunnen wij heel goed, hoor. En we verzinnen er reclame bij en Stephan mag een naam bedenken. En ik hoef niet de hele tijd naar school. Ik wil best meehelpen in de fabriek. Dan kunnen we hier altijd blijven wonen.'

'Altijd is een lange tijd,' zei Albrecht glimlachend.

'Tot de rode beukenboom groot en sterk genoeg is om een schommel aan te hangen en nog langer,' zei Meda.

'Enne, ga jij dan later met Stephan trouwen?' vroeg Albrecht plagend.

'Jij denkt dat het een grapje is, hè?' Meda schudde haar rode haren op haar rug. 'Maar het is geen grapje. Ik weet dat zeker.'

'En Stephan, weet die het ook zeker?'

'Nee, die weet er nog niks van. Maar dat moet ook niet. Ik vertel het hem wel als hij oud genoeg is.'

Albrecht schudde vol verbazing zijn hoofd. Zijn ogen schitterden. 'En wanneer vind jij hem oud genoeg om te weten dat hij met jou gaat trouwen?'

'Hoe oud was jij toen jij met mama ging?'

'Achttien.'

'Nou, dan vertel ik het hem als hij achttien is,' zei Meda beslist.

'Ha! Ik wil niet vervelend doen hoor... Maarre, als hij nou eens niet met jou wil trouwen?'

Meda keek vol verbazing naar Albrecht op. 'Nou moe, natuurlijk wil hij dat wel!'

Na het eten lag Meda in het hoge gras en keek naar de blauwe lucht, waar kleine wolkjes aaneen begonnen te sluiten. Albrecht en Lieve zaten op de houten bank voor het huis met hun koffie.

'We krijgen onweer,' zei Lieve.

'Ja?' vroeg Albrecht.

'Dat kun je ruiken,' zei Lieve. 'En alle geluiden klinken ook anders.'

Ze waren weer een poos stil. Meda keek hoe de wolken zich verder samenpakten boven haar hoofd. Ze richtte zich pas op toen ze een druppel voelde.

Ze holde naar Albrecht en Lieve en ging tussen hen in

op de bank onder de dakgoot zitten. Ze bleven nog een tijdje zitten en keken naar de regen. Pas toen het ging waaien en de druppels schuin onder de dakgoot vielen, gingen ze naar binnen.

In het holst van de nacht

Meda lag in bed nog een poos naar het ruisen van de regen te luisteren. Toen ze net sliep begon het te onweren. Lieve sloop haar kamertje binnen om haar raam te sluiten. Het gordijn dat was opgewaaid trok ze weer goed dicht. Toen liep ze naar Meda's bed. Ze boog zich over haar heen.

'Welterusten lieverd.' Ze gaf Meda een kus. Op dat moment weerlichtte het buiten. Bijna gelijk daarop volgde een enorme donderslag. Het houten huis schudde ervan.

Meda's ogen vlogen wijdopen. 'Mama?'

'Ssst, ga maar lekker slapen, het onweert alleen maar.'

Meda's ogen vielen weer dicht. Ze draaide zich op haar zij en sliep verder. De donder rommelde nog na tot in de verte. Lieve glimlachte en trok de deur van Meda's kamertje zacht achter zich dicht.

Later, in het holst van de nacht, kwam het onweer terug. De bliksem verlichtte de bekken van de grimmige stenen leeuwen op de pilaren bij het toegangshek. De jongeman, die zijn hoofd beschutte met zijn armen, jammerde: 'Rotweer, rotfabriek, smerige rotsnoepjes! Mevrouw de directeur ammehoela – een hebberig kreng, dat is ze... Aaaah!'

Een enorme donderslag volgde op het weerlicht. De

jongeman greep paniekerig de pilaar beet. Hij boog diep voorover, alsof hij weg kon duiken voor het lawaai. Toen de donder weg rommelde kwam hij overeind. Opnieuw weerlichtte het. Hij keek recht in de bek van de leeuw. Het leek alsof de ogen van het beest naar hem toedraaiden, hem aankeken. Het zwarte hek werd door de wind beetgepakt en draaide knarsend een stuk de weg op.

De jongeman liet de pilaar los en begon te rennen. Een eind verderop ging de weg over in gelig zandpad dat oplichtte in de duisternis. 'Ik ben in elk geval op de goede weg,' mompelde hij tegen zichzelf. 'En waarom moet ik alles doen? Waarom gaat die ouwe niet zelf zoeken? Hij ligt lekker warm onder zijn dekbed. En ik loop hier te vernikkelen in de regen...'

Hij stopte met klagen. Het zandpad leidde plotseling door een soort weitje vol hoog gras en onkruid. De wind zwiepte het nat tegen zijn broekspijpen. Aan het einde van het weitje doemde een gebouw op, zwart tegen de donkere lucht. Alleen een vaag lichtje brandde achter een raam ergens boven. De jongeman stond stil en hield zijn adem in. Toen het opnieuw weerlichtte zag hij het gebouw heel even duidelijk. Het moest die schuur zijn waar die Albrecht van Gent nu woonde. Dat lichtje zou wel in de kamer van dat meisje zijn. Kinderen hadden nachtlampjes. Hijzelf had vroeger ook een nachtlampje. Een houten kabouter met een lantaarntje in zijn hand. Hij wist het nog goed. Als hij 's nachts wakker werd gaf het lantaarntje net genoeg licht om te zien dat het toch geen monster was daar op zijn stoel; dat het zijn kleren maar waren, snel en slordig opgehangen.

Albrecht en Lieve hadden geen dure spullen. Ze woonden op een plek waar niemand iets te zoeken had. Er liep geen weg langs en er kwam eigenlijk nooit iemand. Behalve de ooms en de tantes, soms. En Stephan natuurlijk. De deur van het houten huis zat dicht om het onweer buiten te houden. En de regen. Hij was eigenlijk nooit op slot.

De jongeman hoefde alleen de deurknop maar te proberen. De deur gleed geruisloos open, want er zaten nieuwe, goed geoliede scharnieren aan. Een poosje bleef hij binnen staan luisteren of hij soms geluiden hoorde boven op de slaapkamers. Maar het bleef stil. Alleen zijn hartslag bonkte in zijn oren en zijn bloed.

Waar zoek je een oud recept? Waar verstopt iemand zoiets als het een geheim recept is? Hij zocht in Lieves handtas, onder de kussens van de bank. In de koektrommeltjes (hij propte drie koekjes tegelijk in zijn mond), in de kasten. In Lieves naaidoos, in de kist lego, achter de ladekast en onder het kleed.

Hij zocht op logische plekken en op gekke plekken. Een recept kon overal liggen.

Toen hij beneden niets kon vinden sloop hij naar boven. De slaapkamer van Lieve en Albrecht durfde hij niet binnen te gaan. Die Albrecht was hem te groot en hij snurkte hem te hard. Hij woelde in de badkamer tussen de schone handdoeken en de vuile was. En tussen de flesjes douche- en scheerschuim. Hij zocht in de kast tussen de lakens en de slopen.

Op Meda's kamer brandde inderdaad een lampje. Het stond op haar nachtkastje. Meda lag met haar rug naar de deur. Ze haalde rustig adem. Haar rode haren lagen warrig op haar kussen. Boven haar bed was een plank opgehangen. Haar dagboek stond erop. Twee poppen en een knuffelbeer. Het spaarvarken. Een tekendoos, puzzels, wat beestjes en nog meer rommeltjes.

De jongeman kon zijn nieuwsgierigheid niet bedwingen. Hij pakte het varkentje en schudde ermee. Er rammelde niets, er ritselde alleen een papiertje. Ze leek hem al geen meisje dat haar zakgeld keurig in een spaarvarken deed.

Grinnikend zette hij het varkentje terug. Die kleine koopt vast liever ijsjes van haar zakgeld, dacht hij. Net zoals ik vroeger.

Hij gluurde onder het kleedje voor Meda's bed. Tussen de schriftjes op haar tafeltje en tussen haar bibliotheekboeken. In de tekendoos en in haar schetsboek. 'Nou zeg, die tekent ook alleen maar snoepjes,' mompelde hij tegen zichzelf.

Toen stootte hij zijn teen tegen de poot van de stoel waarover haar kleren hingen. De stoel verschoof piepend. Meda vloog overeind in bed, zag hem, en gilde.

Hij schoot de trap af, struikelde door de kamer naar de deur en sprong naar buiten.

Boven ging het licht aan. Albrecht en Lieve renden tegelijk de gang op en stormden Meda's kamertje binnen.

'Er is iemand,' schreeuwde Meda. Ze begon te huilen en wierp zich tegen haar moeder aan.

Lieve sloeg haar armen beschermend om haar heen. 'Stil maar, lieverd. Er is hier niemand, je hebt het vast gedroomd. Papa zal overal wel even kijken. Stil maar, schat.'

Albrecht bleef even in de deuropening staan. Toen verdween hij met grote stappen de trap af. Het eerste wat hij zag was de deur, die heen en weer slingerde in de wind.

Zijn hand tastte naar de lichtknop. Het licht ging aan. Hij liep naar de deur en trok hem dicht. En ditmaal schoof hij de grendels erop en draaide hij de sleutel om. Toen hij dat gedaan had keek hij onderzoekend de kamer rond. Het kleed lag een beetje scheef. De kussens van de bank waren onderuit getrokken. Er stonden een paar keukenkastjes half open.

'Albrecht?'

'Ja, meisjes van me. Alles is in orde, hoor.'

Hij zag een natte voetafdruk op het keukenzeil en verderop bij de trap nog een.

'Wat was er nou?'

'Niks! Niks om jullie ongerust over te maken. Het heeft nogal gestormd. De wind moet de deur hebben open geblazen. Er is een beetje regen naar binnen gewaaid. Ik ruim het wel even op.'

Albrecht liep naar het raam en schoof het gordijn open. De regen striemde tegen het venster. Het was aardedonker buiten.

Hij zag niemand, en niets bijzonders. Hij draaide zich

om en ging de keuken in. Met de vaatdoek veegde hij de natte voetstappen weg. Hij legde de kussens recht in de bank en schoof het kleed recht. En hij deed alle keukenkastjes weer goed dicht. Daarna ging hij naar boven.

Meda sliep alweer. Lieve zat nog op de rand van haar bed en streelde over haar haren. Ze keek op toen Albrecht in de deuropening kwam staan.

'Wat was er nou echt?'

'Echt? Hoe bedoel je echt? Het was de wind, dat zei ik toch...'

Lieve stond op. Ze liep Meda's kamertje uit, langs Albrecht terug naar bed. 'O, Albrecht,' zei Lieve. 'Mij hoef je niet gerust te stellen. Er was hier echt iemand, hè?'

Ze ging op het bed zitten en keek hem met grote ogen aan. 'We moeten Meda goed in de gaten houden.'

'Ja, ze moet voorlopig niet alleen zijn,' beaamde Albrecht. 'En we zullen voortaan altijd de deur op slot doen.'

'Ja, we zullen goed op haar letten,' zei Lieve met een klein stemmetje.

Het is hier fijn

De volgende ochtend scheen de zon. De merels floten in de tuin. In het lange gras van het weitje glinsterden nog druppels. Meda had zich vroeg aangekleed en leunde al uit het raam toen Lieve haar kamertje in stapte. Lieve kwam achter haar staan.

Meda draaide zich om. 'Ik zag een ree.' Ze fluisterde heel zacht.

'Echt?' Lieve tuurde in de verte naar de bosrand.

'Echt. Misschien waren er zelfs twee. Ik heb er in elk geval één gezien. O, mama, het is hier fijn. Ik wil hier wel altijd blijven wonen.'

Lieve lachte. 'We zullen ons best doen, papa en ik vinden het hier ook fijn.'

Even keek Meda bedachtzaam. 'Was... Was er vannacht iemand in huis? Ik heb iemand gezien, hè? Op mijn kamer?'

Lieve antwoordde niet meteen.

'Papa en ik... Wij zagen niemand, lieverd.'

'Gek...' zei Meda peinzend. 'Het was net echt. Het onweerde vannacht, hè? Daar ben ik natuurlijk van gaan dromen. Van het lawaai en de bliksem.'

Lieve glimlachte vaag en keek om zich heen. 'Kom we gaan ontbijten,' zei ze. 'Dek jij vast de tafel, dan maak ik papa wakker.'

De dag op school ging voorbij zoals alle andere dagen. Alleen werden Meda en Stephan opgehaald door Albrecht en Lieve met het bestelwagentje.

'We moesten toch even terug naar het dorp voor pannenkoekmeel en zo,' zeiden ze. 'En nu hoeven jullie niet over die gammele ouwe brug heen te klimmen. Jullie rijden vandaag netjes met ons mee over de nieuwe weg.'

In de fabriek gingen ze verder met het zoeken naar het recept. Ze vonden nog meer bestellijstjes. Nog twee heel ouderwetse kleiknikkers. Heel veel moeren en schroefjes, muizennesten, spinnen en stof. Aan het eind van de middag zaten ze moe om de tafel. Lieve schonk het laatste restje limonade in voor Meda en Stephan. Ze dronken gulzig.

'Kom,' zei Albrecht. 'Ik zet jullie thuis af en dan ga ik opa ophalen. Dan kunnen jullie je even wassen en alvast aan het eten beginnen.'

Ze reden stilletjes naar huis. Ze hadden het recept niet gevonden en ze hoefden echt niet verder te zoeken. Ze hadden werkelijk in ieder hoekje en gaatje gekeken.

'Als opa die bestellijstjes ziet, herinnert hij zich misschien weer wat er in die zuchtjes moet,' zei Meda. Ze probeerde de moed erin te houden.

Albrecht en Lieve zeiden niets terug.

Stephan keek even naar haar opzij. 'Ja, misschien,' zei hij zacht.

Thuis wasten ze zich. Meda zette de radio aan. Stephan mocht het beslag voor de pannenkoeken mixen. Ze voelden zich weer wat beter. Toen de eerste pannenkoeken klaar waren en het hele huis ernaar rook, konden ze weer lachen.

'Gaan jullie nog maar even spelen,' zei Lieve tegen Meda. 'Papa zal zo wel komen met opa en ik moet nog een hele stapel pannenkoeken bakken.'

'Ik lust er wel zes,' zei Stephan.

'Gek, dan krijg je buikpijn!' Meda gaf hem een duwtje.

'Nee echt, ik lust dat best. Hoeveel eet jij er dan altijd?'

'Nou, drie, en heel soms vier.'

'Wacht maar, dan zul je het zien straks. Zes. Makkie.'

'Opschepper!' Meda holde achter Stephan aan, de houten trap op, haar kamertje in. Stephan liet zich op het bed vallen. Meda ging op het voeteneinde zitten.

'Ik zag vanmorgen een ree,' vertelde ze. 'Misschien waren het er zelfs twee, maar ik kon het niet helemaal goed zien. Ze stonden tussen de bosjes.'

Stephan liep naar het raam. 'Waar?'

Meda kwam naast hem staan. 'Daar, aan de rand van het veld waar het bos begint.'

Ze tuurden een poosje in de verte. Ze konden de pannenkoeken nu ook ruiken op Meda's kamertje. Na een poosje draaide Stephan zich weg van het raam. Hij rommelde tussen Meda's spulletjes en pakte het roze spaarvarken.

'Jij bent ook niet erg rijk!' Hij schudde hem lachend voorzichtig heen en weer. 'Er rammelt niks!'

Meda keek om. 'Er zit wel iets in, hoor. Hoor je het ritselen? Ik heb nog een andere spaarpot. Ik doe mijn geld hier niet in, want als je het eruit wilt halen moet je het varkentje breken, en dat wil ik niet.'

'Zit er geen gaatje aan de onderkant?' Stephan draaide het varkentje om en bekeek het ongelovig.

'Nee, vroeger hadden ze dat niet. Het is al een oud varkentje. Het is nog van Oom Isak geweest. Kijk, hier staat zijn naam.' Meda wees tussen de oren van het varkentje. 'Ik mocht het hebben. Het stond in het oude huis in de bijkeuken tussen allerlei keukenspullen.'

Stephan schudde het varkentje nog eens heen en weer. 'Misschien zit er een heel oud geldbriefje in,' zei hij. 'Een briefje van vijf guldens. Die hadden ze heel vroeger, dat heeft mijn vader me wel eens verteld.'

'Of een briefje van honderd gulden! Ik heb wel eens geprobeerd om het eruit te krijgen maar het lukte niet.'

Stephan probeerde door het gleufje naar binnen te gluren. 'Ik zie niks,' zei hij. 'Geef es iets plats, een mes of een nagelvijl of zo.'

Meda keek rond. Ze haalde haar schouders op. 'Dat heb ik hier niet. Een potlood?'

'Nee, die past niet in de gleuf. Ik zou kunnen proberen...'

'Meda! Stephan! Eten!'

Stephan zette het varkentje terug op de plank. Ze bolderden de trap af. Beneden zat opa in zijn rolstoel. Meda vloog naar hem toe. Hij sloeg zijn oude beverige armen om haar heen en gaf haar een prikkende kus die naar sigaren rook.

'Dag, mijn lieve kind,' zei hij. 'Wat heb je toch een mooie haren. Je wordt met de dag mooier. Net zo mooi als je oma vroeger. En natuurlijk net zo mooi als je moeder.'

Lieve lachte. 'Opa wil een heleboel pannenkoeken eten, dus hij denkt, laat ik Lieve maar eens een beetje vleien.'

Opa grinnikte en knipoogde naar Meda en Stephan.

Na het eten zaten ze met zijn vijven buiten. Opa in zijn rolstoel, Lieve en Albrecht op de tuinbank, en Stephan en Meda in het gras. 'Maken jullie het toetje eens,' zei Lieve. 'Ik ben nog moe van het pannenkoeken bakken.'

Stephan en Meda sprongen al op. 'Wat moeten we maken?'

'IJsjes,' zei Lieve. 'Met vruchtjes en slagroom. En zet meteen water op voor koffie.'

Stephan en Meda renden naar de keuken. 'Ik mag de slagroom kloppen,' riep Meda. Stephan schepte het ijs in schaaltjes. Hij sneed plakjes banaan en stukjes perzik over het ijs. Toen ze bijna klaar waren en de slagroom stijf was, kwam Lieve binnen om koffie te zetten.

'Mogen we die kloppertjes van de mixer aflikken?' vroeg Meda.

'Ja, natuurlijk,' zei Lieve.

Stephan en Meda likten grote klodders slagroom. De rest van de slagroom verdeelden ze uit de maatbeker over de schaaltjes ijs.

'Er zijn ook nog aardbeien,' zei Lieve. 'Doe maar bij allemaal nog een aardbei bovenop de slagroom.'

Stephan waste de aardbeien en sneed de kroontjes er voorzichtig af. Trots zetten ze de toetjes op een dienblad. Meda trok Lieve aan haar mouw. 'Opa moet de babbelaars nog proeven,' fluisterde ze.

'Alles op zijn tijd. Eerst de toetjes,' zei Lieve. 'Dan wil hij zijn sigaar. Dan krijgt hij koffie, en dan, bij de koffie...'

'Een babbelaar!' zeiden Stephan en Meda tegelijk.

Lieve knikte naar de deur. 'Maar nu eerst die ijsjes, voor ze smelten!' zei ze, zogenaamd streng.

Meda liet opa ondertussen ook de oude bestellijstjes zien.

'Jammer, maar dit zijn geen spullen voor zuchtjes,' zei opa. Hij had de lijstjes met een glimlach om zijn mond bestudeerd.

'Ik zal er nog eens goed over nadenken. Ik weet zeker dat er anijs in moet. En gepofte rijst, dat maakte het zo licht en toch knapperig. En witte chocolade. Schrijf dat maar vast op, thuis. Ik denk er nog over na, vannacht. Het is toch vreselijk dat ik het me niet meer kan herinneren, maar toen oma stierf...' Hij schudde triest zijn grijze hoofd. 'Het leek alsof niets nog belangrijk was.'

'Geeft niks hoor opa,' zei Meda. 'Wil je nou een babbelaar proeven?'

Opa zoog stil op de babbelaar. Niemand durfde iets te zeggen. Ze wilden opa niet afleiden. Hij moest zich concentreren op de smaak en op niets anders. Het leek heel lang te duren voor ze hoorden dat hij het laatste restje doorbeet en fijnkauwde.

Opa keek naar Albrecht. 'Puik!' zei hij. 'Zoon, ik laat je niet langer in spanning: dit was precies goed!'

Albrecht straalde. Lieve en Meda klapten in hun handen.

'Luister, vader,' begon Albrecht. En hij vertelde opa over hoe ver hij al was met het schoonmaken van de fabriek. En over de bank die alleen maar geld wilde lenen als ze ook zuchtjes gingen maken.

Opa luisterde goed en knikte toen hij uitverteld was. 'Albrecht, wil je me morgen ophalen?' zei hij. 'Ik zou graag de fabriek weer eens zien. Misschien, als ik er ben, dat me dan weer iets te binnen schiet.'

'Ja, natuurlijk wil ik je ophalen. Vader, weet je wel zeker dat je al wilt komen kijken? Ik heb nog maar één machine opgeknapt. Misschien raak je van streek als je de fabriek zo verwaarloosd ziet.'

'Ach jongen, ik kan nog wel ergens tegen. Ik ben niet van koekendeeg.'

'Da's goed vader, dan haal ik je morgenmiddag op,' zei Albrecht.

En toen Meda en Stephan naar de bosrand waren geslopen om te kijken of er weer reeën stonden, vertelde hij opa ook fluisterend over de inbreker.

Nooit meer rooie kool met bloedworst

'Ik heb geen zin om naar dat vervelende mens toe te gaan,' zei de jongeman.

'Hou je mond en doe wat je gezegd wordt,' zei zijn vader. Hij wilde alweer een klap uitdelen maar de jongeman weerde hem af. 'Daar moet je nou echt eens mee ophouden, pa!' beet hij hem toe.

Ze liepen het fabrieksterrein van Van Putten Zoetwaren op. Het was al bijna middernacht. Boven, in het deftige kantoor van de directeur, Maggie van Putten, brandde nog licht.

Ze zoefden naar boven met de lift en liepen een lange gang door naar het kantoor.

'Binnen,' riep de koude stem van Maggie van Putten, toen de oudere man aanklopte.

'Ga zitten,' zei ze. Ze had een lang glas met een groen drankje erin voor zich staan. De jongeman vroeg zich af wat het was. Vast een soort vergif, dacht hij. Daar wordt ze zo giftig en vervelend van. Hij moest er bijna om giechelen en het kostte hem moeite om zijn gezicht in de plooi te houden.

'Nou, waar wacht je op?'

'Hè?' Hij schrok op uit zijn gedachten.

'Heb je nog bij hen rondgesnuffeld of niet?'

'Eh, ja. Ik heb niks gevonden en ik heb overal gekeken.'

'En bij het meisje?'

'Ben ik ook geweest.'

'Hmmm, misschien hebben ze het echt niet. Of nóg niet en zoeken ze nog. Ik ben vanavond bij de ouwe van Gent in dat verzorgingstehuis wezen kijken. Bij hem heb ik ook niets gevonden. We spreken het volgende af: jullie houden ze in de gaten. Zodra jullie dan ook maar het minste vermoeden hebben dat ze het recept hebben gevonden gaan jullie op onderzoek uit. En dan pakken jullie het af voor ze de kans krijgen het te kopiëren. Begrepen?'

'En als we dat niet doen?' vroeg de jongeman.

'Dan ontsla ik jullie allebei!' snauwde de vrouw.

'Dan zoek ik ergens anders werk,' zei de jongeman. Hij sloeg zijn ogen op en keek de vrouw recht aan. 'Of u moet me betalen voor mijn spionnenwerk. Als ik het recept te pakken krijg, maakt u mij ook directeur van deze fabriek. Voor ons allebei de helft, dat lijkt me wel wat.'

De oudere man keek stomverbaasd opzij.

Maggie van Putten schoot overeind uit haar stoel. 'Hoe durf je!' Het glas met de groene vloeistof wankelde.

'Doe toch niet zo wild, Maggie,' zei de jongeman rustig.

'Maggie?' herhaalde Maggie verbijsterd. 'Zeg jij dat tegen mij? Ik ben je directeur, ja!'

'O, enne, als u mij geen directeur wilt maken, ook best. Dan gaat u zelf verder maar achter dat recept aan. En nu ga ik naar huis en naar bed, ik heb de afgelopen nacht ook al de hele nacht rondgeslopen. Ik ben het zat!'

De jongeman draaide zich om. 'Kom pa.'

'Maar, maar...' stamelde zijn vader.

‘Wacht!’ Maggies stem klonk ineens als de stem van een huilerig klein meisje. ‘Wacht! Ik kan toch niet zelf gaan rondsluipen daar op dat vieze fabrieksterrein en in dat bos. Een vrouw als ik!’

‘Tja…’ zei de jongeman. ‘Nou pa, kom je nog? Ik ga, hoor.’

Hij liep naar de deur en pakte de deurknop vast.

‘Wacht, we, eh, ik… Wacht nog even!’

Hij draaide zich weer om. ‘Goed dan. Ik kan nog wel heel even wakker blijven.’

‘Als je dat recept te pakken krijgt, dan maak ik je onderdirecteur,’ zei Maggie weer met haar gewone stem. Ze keek strak naar het tafelblad.

‘Nee, gewoon directeur. Niks onderdirecteur. En ik wil

dan de helft van alles wat we verdienen met die zuchtjes. Anders zoekt u het maar uit.'

Maggie keek op. 'Profiteur!' beet ze hem toe.

De jongeman glimlachte alleen maar.

Maggie sloeg haar ogen neer. Nerveus nam ze een slokje van het groene drankje. 'Goed dan, jij je zin.'

'Dus dan worden wij samen directeur?'

'Ja! Dat zeg ik toch!'

De jongeman liep naar de deur. Hij was bijzonder tevreden met zichzelf. 'Kom pa, we zijn hier klaar. Er is werk aan de winkel. We gaan nog maar eens verder zoeken naar dat recept. Goedenavond, mijn beste Maggie!'

'Noem me niet zo!'

Maggie van Putten keek razend naar de deur die achter de twee mannen in het slot viel. Ze greep naar het glas en nam een te grote slok. Het drankje brandde in haar keel en maakte haar aan het hoesten. Ze hoestte en kuchte tot de tranen over haar wangen liepen.

De jongeman lag in bed met zijn armen onder zijn hoofd gevouwen. Een motor ga ik kopen, dacht hij. En zo'n zwart leren pak erbij. En ik koop een huisje in de stad en ga iedere avond pizza eten en bier drinken met mijn vrienden. Ik zal naar de bioscoop kunnen wanneer ik wil. En op mijn motor naar het strand. En ik neem een meisje mee achterop. Een meisje waar ik mee kan lachen en dat ook van pizza houdt. Ik hoef hier niet meer te wonen. Nooit meer die vieze spruitjes eten die mijn moeder kookt. Of lof of rooie kool met bloedworst. Nooit meer varkenslapjes. Nooit meer dat vreselijke Rad van Fortuin op de tv. Ik kijk alleen nog maar op mijn eigen tv naar alle programma's waar ik naar wil kijken. Popmuziek en misdaadfilms en nu en dan het journaal om te horen hoe het ervoor staat met alle snoepfabrieken en de verkoop van snoep.

Hij zuchtte diep. Een giechelende lach kriebelde naar boven vanuit zijn borst tot hij hardop lachte. 'O, als dat toch eens echt waar werd,' zei hij hardop tegen het plafond. 'O, laat het wáár zijn! Ikke directeur van de fabriek, samen met die Maggie van Putten!'

Een verbazend bijdehandje

Meda mocht mee naar de bank, ook al waren bankzaken niks voor kinderen. 'Misschien luisteren ze wel naar jou,' zei Albrecht. Lieve en hij hadden bijna de hele nacht liggen tobben over manieren om toch geld geleend te krijgen.

'Jij kunt het altijd zo mooi vertellen, Meda.'

Meda zag meteen dat de directeur eigenlijk geen zin meer in een gesprek had. 'Ik heb al verteld hoe de zaken ervoor staan,' zei hij onwillig. 'Als u dat recept voor die zuchtjes niet heeft, kan ik u die lening echt niet geven.'

'Meneer, wilt u echt niet eens komen kijken?' zei Meda. 'De eerste snoepjesmachine is alweer opgeknapt, en papa heeft al heel lekkere babbelaars gemaakt. Het is geen gewone snoepfabriek! Er kunnen dagjesmensen komen kijken. Iemand kan ze rondleiden en van alles vertellen over de geschiedenis van de fabriek. En we kunnen een klein ouderwets winkeltje bij de fabriek openen. Daar kunnen ze dan snoepjes kopen om mee naar huis te nemen,' zei Meda dringend.

Albrecht en Lieve keken verbaasd naar haar. Meda had hun nog niets verteld over dit mooie plan. Maar Lieve wist meteen wat ze bedoelde.

'Ja, in van die ouderwetse puntzakjes! Een winkeltje met zo'n weegschaal van vroeger. We hebben nog de

prachtigste antieke spulletjes in de fabriek. Oude snoeptrommeltjes en doosjes. Ik weet zeker dat veel mensen het heel leuk zouden vinden om een ouderwetse snoepfabriek te bezoeken!' Lieve keek de directeur smekend aan.

'Kom, u bent toch wel een beetje nieuwsgierig naar onze ouwe fabriek,' zei Albrecht op het laatst met zijn zware stem. 'En kijk eens naar buiten: de zon schijnt, is er een mooiere dag om er een uurtje uit te gaan?'

De bankdirecteur keek naar buiten. Op het plein voor het bankgebouw stond een bloeiende sering in de zon. Een klein meisje fietste voorbij op een driewielertje.

'Ja, meneer? Goed, meneer?' zei Meda met haar allerliefste stemmetje.

Ineens moest de directeur lachen. 'Vooruit dan maar. Vanmiddag, tegen vijven?'

Meda kwam te laat op school. Juf Natha trok haar wenkbrauwen hoog op. Stephan zat al omgedraaid in zijn stoel en keek Meda aan.

'Ik moest even met mijn vader en moeder mee een boodschap doen.'

'En?' vroeg juf Natha.

'Een, eh...' hakkelde Meda. Ze bedacht dat een lening vragen bij de bank nou niet iets was wat de hele klas hoefde te weten.

'Het is geheim!' mompelde ze.

'Wat zeg je? Je mompelt!' zei juf Natha hard.

'Het is geheim!' riep Meda.

'Goed zo, nou versta ik je,' zei juf Natha. 'Ga dan maar zitten. Want een geheim is geheim, en daar moet je niet over praten.'

Toen Meda uit school kwam, stonden Lieve en Albrecht haar al op te wachten bij het hek. Het weer was omgeslagen. Het regende pijpenstelen. In de verte rommelde de donder.

'Als die directeur nog maar wil komen,' zei Meda benauwd. 'Het is nu helemaal geen mooie dag meer.'

'Hij komt heus wel, hij heeft het immers beloofd,' zei Albrecht. 'Komt Stephan ook mee?' Hij keek naar Stephan die naast Meda op de achterbank klom.

'Mag het?' vroeg Meda.

'Ja, natuurlijk,' zei Lieve. 'Het is juist fijn als Stephan met je meekomt, dan ben je vanmiddag niet alleen thuis. Papa en ik moeten allebei op de fabriek zijn als de directeur van de bank komt. We willen het zo netjes mogelijk maken en papa moet opa ook nog ophalen.'

Ze draaide zich om en keek naar Stephan en Meda op de achterbank. Ze zag er moe uit, vond Meda. Op haar gezicht zaten een paar vuile vegen, en in haar haren zat spinnenweb.

'Meda, wat een prachtig plannetje was dat van jou, om mensen de fabriek te laten bezoeken. Nu gaat het niet meer om zomaar een fabriek, maar om een soort museum. Het was zo slim van je om dat te zeggen. Papa en ik waren er helemaal ondersteboven van toen jij dat zei.'

'Je bent een verbazend bijdehandje,' zei Albrecht. Hij zei het vol trots.

Meda kreeg een kleur van plezier. 'Ik heb het in het speelkwartier al aan Stephan verteld,' zei ze een beetje verlegen.

'Eigenlijk zou iedereen altijd zijn kinderen mee moeten nemen naar de bank,' zei Stephan. 'Kinderen hebben altijd goeie ideeën.'

'Hmmm,' zei Lieve. Ze grinnikte en draaide zich om.

'Mama, weet je wat juf Natha zei toen ik te laat kwam?'

'Nou?'

'Ik wilde niet zeggen waarom ik te laat was, dus toen zei ik dat het geheim was.'

Albrecht schoot in de lach.

'En toen zei ze: "Ga dan maar zitten. Want een geheim is geheim, en daar moet je niet over praten",' riep Stephan.

Lieve en Albrecht lachten. 'Volgens mij is die juf Natha best een aardige juf,' zei Lieve.

Stephan en Meda keken elkaar aan. 'Dat is ze ook,' zeiden ze allebei tegelijk.

Lieve zette wat lekkers klaar op het aanrecht. 'Als wij nog niet op tijd terug zijn en jullie krijgen honger dan mogen jullie tosti's maken.' zei ze. 'Ik heb alles hier bij het tosti-ijzer klaar gelegd. Kunnen jullie dat wel?'

'Ja, natuurlijk. Leuk!' zei Meda.

Er klonk een harde onweersslag. Het was donker buiten, ook al was het pas vier uur. Lieve keek ongerust naar Albrecht.

'Kom, we gaan,' zei Albrecht. Hij knikte naar Lieve. 'Hij komt heus wel, die directeur. Dat mooie verhaal van Meda heeft hem nieuwsgierig gemaakt. Ik zag het.'

Lieve glimlachte. 'Nou jongens, wij gaan. Meda, doe, eh... Doe de deur maar op slot.'

'Op slot?' vroeg Meda verbaasd.

'Nou ja, misschien waait hij open. Het stormt zo en het is zo donker.'

'Doe het maar om je moeder gerust te stellen,' zei Albrecht. 'En nu moeten we echt opschieten. Kom Lieve, ik ben bang dat we vader al niet meer kunnen ophalen...'

Stephan en Meda keken het bestelautootje na toen het wegreed het zandpad over. De regen maakte kronkelende strepen op de ruit. Het was ineens stil in huis. Meda schoof de grendel voor de deur. 'Zullen we boven spelen?' vroeg ze.

'Mij best,' zei Stephan.

Ze klommen de trap op. Het weerlichtte. De donder rommelde een poosje erna, nog ver weg.

Meda had een poosje in haar dagboek zitten schrijven. Stephan lag in een boek te bladeren, maar schoof het nu opzij.

'Ik zou best al een paar tosti's lusten,' zei hij. 'En dan lekker op de bank opeten voor de tv en tekenfilmpjes kijken.'

'Die directeur is er nu,' zei Meda. Ze moest hard praten om over het gekletter van de regen op het dak heen te komen.

Stephan keek op de klok boven haar bed. Het was vijf uur. Op de plank onder de klok stond het spaarvarken.

Stephan kwam overeind. 'Ik weet hoe je dat papiertje of dat geld of wat het dan ook is, eruit kan krijgen.'

Hij pakte het varkentje van de plank.

'Hoe dan?'

'Ik zal het je laten zien.' Hij liep naar de trap en bolderde naar beneden. Meda kwam achter hem aan.

Stephan liep naar de keukenla en pakte een mes. Hij stak het mes voorzichtig in de gleuf en schudde met het varkentje. Het papiertje kwam tegen het mes aan te liggen. Langzaam kantelde hij het varkentje. Een puntje papier stak nu door de gleuf.

'Pak het beet tussen je nagels,' zei Stephan tegen Meda, die vlak naast hem stond. Ze wurmde zich langs hem heen en pakte het papiertje zo stevig mogelijk vast.

'Ik heb het!'

Stephan trok het mes terug, voorzichtig om Meda niet te snijden.

'Nou goed vasthouden en proberen het verder naar buiten te trekken.'

Meda's hand trilde een beetje. Ze trok heel voorzichtig. Langzaam kwam een opgevouwen papier tevoorschijn.

'Het is geen geld!' riep Stephan teleurgesteld.

'Misschien een liefdesbrief,' zei Meda.

Het papier lag nu naast het spaarvarken op tafel. Ze

keken elkaar aan. Het weerlichtte. De donder volgde vrijwel meteen. Meda trok haar hoofd tussen haar schouders.

'Kijk nou wat erin staat!' Stephan maakte een ongeduldige beweging met zijn hand.

Meda pakte het papier. Het was vergeeld aan de randen. Er zat een vetvlek op. Ze draaide het om en vouwde het open.

Stephan kwam naast haar staan. Ze staarden naar de ouderwetse letters in schuinschrift. De vetvlek had de inkt in het midden van het papier laten doorlopen. Maar er was geen twijfel mogelijk.

VAN GENT SNOEPFABRIEK
Zuchtjes (geheim!)

Achtervolgers

Meda en Stephan keken elkaar aan, weer naar het recept en weer naar elkaar.

'We moeten het gaan brengen!' zei Meda. 'Die man van de bank is er vast nog wel.'

Ze begon het recept op te vouwen. Stephan liep naar het aanrecht en schudde het brood dat Lieve had klaargelegd uit de plastic zak. 'Doe het in deze zak,' zei hij. 'Het regent buiten en dat papier is al heel oud.'

Meda trok de plastic zak om het recept en vouwde het opnieuw op voordat ze het diep wegstak in haar broekzak. Ze trokken hun jassen aan en ritsten ze hoog dicht. Toen Meda de deur opende, weerlichtte het krakend. De wind rukte de deur uit haar hand en smeet hem dicht achter Stephan, die vlak achter haar aankwam. Met gebogen hoofden begonnen ze naar het zandpad te rennen.

Bij het hek tussen de pilaren met de leeuwen erop stond een grote, glanzende auto geparkeerd. Achter de beslagen raampjes brandde binnen een klein lampje. Maggie en de jongeman zaten voorin. Op de achterbank zat de oudere man. Maggie rookte een sigaret. Het raam aan haar kant stond op een kier open. Radiogeluiden kwamen met de kringelende rook mee naar buiten.

Meda en Stephan renden langs, gebogen tegen de regen en de wind, en merkten de auto amper op. Toen ze al een flink eind weggehold waren mikte Maggie haar peuk naar buiten. Ze keek even naar de jongeman naast haar. Hij knikte.

'Dat waren ze. Het dochtertje en haar vriendje.'

De vrouw startte de auto. Het licht van de koplampen wierp dikke lichtbundels op de bladeren van de struiken onder de bomen. Langzaam reed de auto de stille weg op achter de kinderen aan.

Meda en Stephan renden tot ze niet meer konden en even iets langzamer moesten lopen. Zo nu en dan lichtte het en rommelde de donder vlak boven hun hoofden. Ze praatten niet, daar hadden ze geen adem voor.

Na een poosje passeerde er een auto. Stephan keek om. Het was een grote glanzende auto met een vrouw achter het stuur. Naast haar zat een jongeman en op de achterbank zat nog een man. Stephan knipperde hevig tegen de regen. Meda keek nu ook om. Heel even dacht ze dat ze een bekend gezicht zag. Maar de raampjes waren beslagen en de auto was alweer voorbij voor ze echt goed kon kijken. Spijtig keken ze de rode achterlichten na die langs de weg in de verte verdwenen.

'Zaten wij maar lekker warm en droog in een auto,' riep Stephan naar Meda. Meda lachte even naar hem. Ze begonnen weer te rennen, achter de rode achterlichtjes aan.

'Ze hield haar hand de hele tijd tegen haar broekzak,' zei de vrouw tegen de jongeman in de auto. 'Zag je dat?'

De jongeman knikte. 'En als ze met dit weer buiten zijn, moeten ze wel een heel goede reden hebben,' zei hij.

'Vanmorgen waren ze weer bij de bank,' zei de oudere man op de achterbank. 'Haar ouders, bedoel ik. En ze hadden dat meisje bij zich.'

De vrouw klakte nadenkend met haar tong. 'Ik rijd naar de ingang van het fabrieksterrein en parkeer daar ergens uit het zicht. We wachten ze op en zodra ze eraan komen vragen we waar ze zo haastig naartoe gaan. En wat die meid in haar broekzak heeft zitten.'

Ze gaf vol gas. De auto zoefde weg.

'Hè, jammer.' Meda keek de rode achterlichten na die plotseling zo snel uit het zicht verdwenen. Het hielp om ergens achteraan te rennen.

'Misschien kan mijn vader ons brengen,' riep Stephan. Ze holden langs de garage. Maar Stephans vader stond met een klant te praten en stak zijn hand afwerend op. Dat betekende: niet storen, ik ben aan het werk.

Ze renden verder, de hele lange Dorpsstraat uit. Eindelijk langs de snackbar, het doodlopende stukje van de oude weg tot de kapotte brug over de rivier. Daar bleven ze hijgend staan.

Het water in de rivier was gestegen. Het bulderde en klotste woest in de diepte tegen de grote brokken steen en beton. De resten van de oude brug waren glibberig en nat. De roestige leuningen glommen van het regenwater.

Meda reikte naar het stuk leuning dat het dichtst bij de oever uitstak. Ze klemde haar hand eromheen en begon te klimmen. De regen sloeg in haar gezicht. Zo nu en dan moest ze haar ogen even dichtknijpen om weer duidelijk te kunnen zien. Achter zich hoorde ze Stephan

roepen. Ze kon hem niet verstaan en ze durfde niet om te kijken. Strak keek ze naar de overkant waar de gebouwen zwart afstaken tegen de donkere onweerslucht. Eindelijk klauterde ze op de kant. Toen pas durfde ze zich om te draaien om te kijken.

Stephan stond nog op de andere oever. Angstig tuurde hij naar de natte, gladde brug en naar beneden in het kolkende water. Toen keek hij op en schudde langzaam zijn hoofd.

'Ik durf niet!' schreeuwde hij.

Zijn schreeuw waaide weg, maar Meda begreep het zo ook wel.

'Kom op! Gewoon goed vasthouden en niet naar beneden kijken!' schreeuwde ze terug.

De bliksem verlichtte heel even de oude, akelige gebouwen op het fabrieksterrein en Stephans bleke gezicht aan de overkant. Hij schudde zijn hoofd en deinsde achteruit, verder weg van de rivier.

'Waar blijven ze nou?' snauwde Maggie nerveus. Ze stak een nieuwe sigaret op.

'Ze gingen echt hierheen. Ze renden nog een heel stuk achter ons aan,' zei de man op de achterbank. 'Ze zullen zo heus wel komen.'

De auto stond geparkeerd tussen de bosjes langs de nieuwe weg, vlak bij de nieuwe ingang naar het oude fabrieksterrein. De drie mensen boenden over de raampjes en tuurden ingespannen naar de weg die vol afgebroken takken en bladeren lag. Maar de weg was en bleef verlaten.

'O, shit!' zei de jongeman plotseling. Geschrokken bracht hij zijn hand naar zijn mond. Even bleef hij stil.

'Maggie! Ze komen hier niet langs. Ze lopen heus dat hele eind niet om. Dat meisje en haar moeder klimmen altijd langs de ouwe brug naar die fabriek!'

De vrouw draaide haar hoofd met een ruk opzij. 'Dat zeg je nu pas! En noem me geen Maggie! Voor jou blijf ik mevrouw de directeur, begrepen!'

Ze klemde de sigaret in haar mondhoek, draaide zich half om en wierp de achterdeur open. 'Eruit jij, ouwe. Jij loopt vanaf hier naar de fabriek. Je zoon en ik proberen ze aan de andere kant tegen te houden. Laat ze niet langs je heen naar binnen glippen, hoor je me!'

De oudere man stapte uit, de stromende regen in. Met hangende armen keek hij hoe de auto startte en vooruit schokte. Binnen greep de jongeman zich vast aan het dashboard. Met gierende banden schoot de wagen terug de bochtige weg op naar het einde van de Dorpsstraat waar de oude, kapotte brug lag.

'Rennen, Meda!'

Meda kon niet besluiten wat ze moest doen. Teruggaan naar Stephan en het hele eind omlopen of alleen verdergaan en Stephan daar achterlaten. Het koude regenwater droop langs haar nek haar jas binnen. Ze trok haar kraag hoger op en trappelde besluiteloos met haar gympies op het gruis langs de oever.

Stephan liep heen en weer aan de overkant. Ongelukkig keek hij van Meda naar beneden, waar het water kolkte en tegen de stenen sloeg.

'Ga jij maar!' schreeuwde hij. 'Ik loop wel om.'

'Wat?' Meda kwam een stapje vooruit. Een paar steentjes rolden onder haar gymschoen vandaan en vielen naar beneden, stuiterend tegen de schuine rotswand.

Stephan strekte zijn armen bezwerend uit. 'Pas op! Ga jij maar. Ik loop om!' Hij maakte een wegzwaaiend gebaar met zijn hand. 'GA NOU MAAR!'

Een auto kwam het doodlopende stukje oude weg naar de rivier oprijden. De regen striemde in de lichtbanen van de koplampen.

Portieren sloegen. Mensen stapten uit. Stephan draaide zich om. Meda tuurde over het water.

Een jongeman die haar bekend voorkwam greep de leuning vast en begon de oude brugresten te beklimmen. Een vrouw liep naar Stephan en pakte hem stevig vast bij zijn bovenarm.

Meda keek stomverbaasd toe. Stephan zou die ouwe brug toch al niet op gaan. Ze hoefden hem echt niet tegen te houden.

Ze hoorde de vrouw op schelle toon iets tegen Stephan schreeuwen. Toen draaide Stephan zich met een ruk om.

'Meda!' hoorde ze hem boven het gegier van de wind uit gillen. 'Rennen! Naar de fabriek!' schreeuwde hij zo hard hij kon.

De jongeman op de brug gleed ineens uit. Zijn voet glibberde over een natte steen en een moment lang hing hij alleen nog aan de roestige leuning. Hij spartelde hevig tot hij weer houvast kreeg en zijn voeten terug kon zetten op een van de randen beton. Met twee flinke sprongen kwam hij op de oever terecht.

Meda keek van hem naar de vrouw die Stephan vasthield. Ze begreep er niks van. Wie waren die mensen? Was dat niet die jongen die zijn fietssleutel kwijt was? Pas toen ze zag dat de vrouw woedend haar hand voor Stephans mond sloeg en hem door elkaar schudde, begreep ze dat ze echt moest maken dat ze wegkwam en begon ze te rennen.

Stephan schopte Maggie van Putten zo hard tegen haar schenen dat ze hem met een kreet losliet. Even vergat hij zijn angst voor de rivier in de diepte en dook onder haar graaiende arm door naar de leuning. Zacht jammerend hees hij zich overeind en begon hij naar de overkant te klimmen. 'Rennen nou, Meda. Kom op, rennen... Oooo, wat is het hoog, niet naar beneden kijken!'

Ook al zei hij dat tegen zichzelf, hij keek toch. En hij

bleef stokstijf staan. Zijn handen klemde hij zo hard om de leuning dat zijn knokkels wit werden.

Meda keek om. Ze zag hem staan. Aarzelend rende ze een paar passen verder. Toen stopte ze. 'Stephan! Hou je vast.'

Het weerlichtte opnieuw. Een rommelende donderslag begon in de verte en kwam snel dichterbij. Meda zag hoe Maggie van Putten naar de brugleuning graaide en op één van de betonranden sprong. 'Hier blijven, rotjoch!' schreeuwde ze.

Stephan keek opzij. De graaiende handen van Maggie van Putten waren nu akelig dichtbij hem. Meda zag de angst op zijn gezicht. Zijn been gleed onder hem vandaan, zijn hand schoot langs de natte leuning tot waar die afgebroken was. Schreeuwend viel hij naar beneden.

Meda begon terug te rennen, maar de jongeman greep haar vast. Ze boog haar hoofd en beet hem in zijn arm. Met een kreet van schrik en pijn liet hij haar los.

In een paar tellen was ze terug bij de rivier. Ze greep de leuning beet en klom zo snel ze kon tot halverwege de brug. Een grote rotspunt, nat en bedekt met glibberig mos en varens, stak daar omhoog. Ze liet zich zakken tot ze aan haar handen aan de betonrand hing en sprong.

Ze glibberde langs de rots. Ze schuurde haar handen open. Ze hoorde haar jas scheuren. Ze viel op haar knieën naast Stephan neer en schudde hem zacht heen en weer. Hij kwam op zijn elleboog overeind. 'Meda, mijn been bloedt. Au.' Hij kreunde en boende over zijn betraande gezicht.

Plotseling stopte de regen. Een bundel zon kwam tus-

sen de wolken door en scheen in de grote glinsterende druppels die van de boombladeren en de brug naar beneden dropen.

De jongeman was op zijn buik op de brug gaan liggen. Hij stak zijn armen uit. 'Pak mijn handen vast, dan trek ik jullie omhoog!' schreeuwde hij boven het lawaai van de rivier uit.

Meda sloeg haar arm om Stephan heen. Ze weken achteruit en hurkten, weg van zijn handen. 'Ga weg!' riep Meda. 'Ik heb je fietssleutel niet!'

De vrouw was terug op de modderige oever.

'Sukkel!' schreeuwde ze. 'Vraag eerst wat die meid in haar broekzak heeft! Laat haar dat aan je geven!'

‘Ze willen het recept,’ zei Stephan met zijn gezicht vlak bij dat van Meda. Hij huilde niet meer. ‘Dat is vast die Maggie van Putten, van die andere snoepfabriek.’

Meda’s hand schoot naar haar broekzak. Ze voelde de plastic zak nog, veilig tegen haar been.

‘Heb je ’m nog?’ vroeg Stephan.

‘Ja,’ fluisterde Meda. Ze draaide zich om naar Maggie. ‘Wij weten wie u bent! We vertellen alles aan de politie.’

Maggie lachte, schel en smalend. ‘Ik zie hier geen politie, jij wel? Geef dat recept nou maar aan hem, dan hijst hij jullie op.’

Terwijl Maggie tegen haar praatte zag Meda iemand achter haar verschijnen. Eerst kon ze haar ogen bijna niet geloven, maar het was echt waar. Het was opa, rukkend en trekkend aan de wielen van zijn rolstoel. Zijn gezicht was verwrongen van inspanning. De modder van de wielen spatte over zijn nette donkerblauwe regenjas en zijn handen. Met korte rukjes kwam hij vooruit.

Meda wilde roepen, maar op hetzelfde moment dacht ze: niet laten merken dat ik opa zie.

Ze kwam overeind. ‘Goed dan, ik geef het,’ zei ze. Maar dan moet je ons meteen ophijsen.’

De jongeman rekte zich naar haar uit. ‘Geef maar,’ zei hij. Zijn gezicht zag rood van het ondersteboven hangen.

Meda keek naar Maggie. Opa was nu vlak achter haar. Maggie mocht hem niet horen. ‘Ik pak het al!’ schreeuwde ze. Ze deed alsof ze de plastic zak bijna niet uit haar broekzak kon krijgen.

Intussen bleef ze naar Maggie kijken en opa zien. Zijn hoed stond scheef op zijn hoofd, zijn mond stond hijgend open. Nog een laatste ruk met zijn trillende armen en hij stootte in de knieholten van Maggie.

Ze gilde en molenwiekte met haar armen. De jongeman en Stephan draaiden zich tegelijk om. Ze zagen haar langs de oever naar beneden glijden, draaien en verder vallen. Met een plons kwam ze in het water terecht.

De jongeman krabbelde overeind. 'Maggie!'

Hij wilde naar de oever toe maar opa werkte zijn rolstoel tot aan het begin van de brug. 'Ik ga pas opzij als je mijn kleindochter en haar vriendje omhoog hebt gehesen,' snauwde hij.

De jongeman kon er zo niet langs. Radeloos keek hij om zich heen en naar de plek waar Maggie in het water was verdwenen. 'Ze verdrinkt!' schreeuwde hij.

Opa keek in de rivier. Een meter of tien verderop hing Maggie aan de overhangende tak van een boom. Ze zag eruit als een verzopen kat en spartelde met haar benen om niet verder meegesleurd te worden door het water.

'Die rotmeid verzuipt niet zo gauw,' zei opa.

De jongeman zag haar nu ook. 'Hou je vast!' schreeuwde hij.

'Kom me helpen, stuk onbenul!' De schelle stem van Maggie kaatste woedend over het water.

'Zie je,' zei opa. 'Onkruid vergaat niet. En nu wil ik mijn kleindochter terug.'

Terwijl de jongeman weer op zijn buik ging liggen en Meda omhoog hees, belde opa op zijn mobieltje de politie. Meda hielp om Stephan aan de kant te krijgen.

Toen de jongeman wegrende om Maggie uit het water te gaan redden, gingen Meda en Stephan bij opa staan.

Opa keek naar de diepe snee in Stephans scheenbeen. 'Dat is een lelijke wond,' zei hij. 'Lieve zal hem wel ontsmetten en er een verbandje omdoen. Hij klopte Stephan op zijn arm.

Meda begon te rillen. Opa trok haar op schoot en hield haar dicht tegen zich aan. Zijn oude hand aaide bibberig haar natte haren.

'Stil maar hoor, schat,' zei hij. 'Kom maar bij opa.'

Het enige, echte, geheime recept

‘Opa,’ zei Meda. ‘We hebben het recept gevonden.’

Opa keek haar aan en begon te lachen. Achter hem stonden drie politieauto’s met zwaailicht. Maggie en de jongeman werden er naartoe gebracht door de politie. Maggies haren sliertten nat om haar gezicht. Haar strenge zwarte bril stond scheef op haar neus en mascarastrepen liepen van haar ogen over haar wangen.

‘Ongelooflijke stuk onbenul dat je bent!’ beet ze de jongeman toe. Ze probeerde zich los te rukken alsof ze hem te lijf wilde gaan maar de politieagenten hielden haar stevig vast.

‘Ik heb je goed geholpen, Maggie. Ik kon er niks aan doen dat ik dat recept niet te pakken kreeg! Ik word toch zeker nog wel directeur?’ schreeuwde de jongeman. Een dikke politieagent met een snor duwde hem een politieauto in.

‘Nooit van mijn leven!’ gilde Maggie terug.

De politieagent sloeg de deur van de auto dicht, stapte in en reed weg. Maggie werd de tweede politiewagen ingewerkt door de agenten. Ze reden achter de eerste auto aan. Een politievrouw uit de derde auto kwam naar opa toe.

‘Kunt u morgen langskomen op het bureau om alles nog eens precies te vertellen, meneer Van Gent?’

‘Ja, dat is goed. Mijn zoon kan mij brengen,’ zei opa.

'Nou, deze jongeman moet even naar zijn been laten kijken en jullie lusten vast wel iets warms te drinken tegen de schrik,' zei de agente vriendelijk. 'Zal ik jullie naar huis brengen?'

'Zou u ons bij de snoepfabriek willen afzetten?' vroeg opa. 'Mijn zoon en schoondochter zijn daar.'

'Met alle plezier,' zei de agente. 'Eens kijken of ik die rolstoel van u in de auto krijg.'

Meda hielp de agente om opa in de auto te krijgen. Stephan klapte de rolstoel in. Ze moesten met zijn drieën tillen om hem achterin de kofferbak van de politieauto te krijgen.

Bij de snoepfabriek moest hij er weer uitgetild en opa er weer in geholpen. Het duurde lang. Ongerust keek Meda naar de fabriek. Ze zag geen auto meer staan die van een bankdirecteur zou kunnen zijn. Zouden ze te laat komen met het recept?

'Dankuwel hoor, en tot morgen,' zei opa tegen de agente. 'We redden het verder wel vanaf hier. Mijn kleindochter en Stephan hier duwen mij wel.'

Iemand maakte zich los uit de schaduwen naast de gebouwen. Een mannenstem zei aarzelend: 'Waar... Waar is mijn zoon?'

De agente draaide zich met een ruk om. Meda en Stephan grepen de handvaten van opa's rolstoel vast, klaar om weg te rennen.

'Uw zoon? Komt u eens tevoorschijn, hier in het licht!' zei de agente streng.

Een doornatte, bibberende man kwam tevoorschijn. 'Mijn zoon zou me hier ophalen,' zei hij. Hij snufte en haalde zijn neus op.

'Uw zoon en misschien ook ene Maggie van Putten?' vroeg de agente scherp.

De man haalde zijn schouders op. Hij wreef ongemakkelijk in zijn koude, natte handen.

'Ik weet waar ze zijn. Zal ik u naar uw zoon brengen?' De agente hield de deur van de politieauto uitnodigend open. De man liep langzaam naar de auto toe en ging op de achterbank zitten. 'Waar zijn ze dan?' vroeg hij.

'Op het politiebureau natuurlijk,' zei de agente opgewekt. 'Precies waar u ook heen moet, komt dat even goed uit!' Ze sloot de autodeur en ging voorin zitten. Ze liet het raampje openzakken, keek naar opa en knipoogde.

'Tot morgen dan,' zei ze en ze reed weg.

'Nou, waar wachten jullie op?' zei opa. 'Beetpakken en duwen, graag! Misschien is die kerel van de bank er nog.'

Stephan en Meda pakten zijn rolstoel vast en duwden hem naar de deur.

'Opa? Papa zou jou toch ophalen? Hoe kan het nou dat je ineens bij de oude brug was?' vroeg Meda.

'Je vader belde me op dat hij me vandaag niet kon komen halen. Het lukte hem niet meer, er zou iemand van de bank komen kijken,' zei hij. 'Nou, en toen dacht ik, kom, ik ben wel een ouwe vent in een rolstoel, maar ik kan nog wel iets! Ik rol er zelf naartoe. Misschien wil die man van de bank wel naar mij luisteren. Ik dacht, ik ga over de nieuwe weg. Maar het begon zo te regenen, en ik schoot helemaal niet op. Ik wou om hulp vragen maar er was niemand op straat. Zo kwam ik pas na een hele tijd bij de rivier... En daar zag ik jullie. Ik kwam maar net op tijd, hè jongens?'

'Precies op tijd,' zei Stephan. Hij lachte breed. 'Zag je 'r naar beneden glijden? Die Maggie van Putten kan krijsen, zeg!'

Ze stonden voor de deur. Meda duwde hem open. Stephan reed opa naar binnen.

De directeur stond bij Lieve en Albrecht en zoog op een babbelaar. Ze keken alledrie om toen Meda, Stephan en opa binnenkwamen. Lieve stond even doodstil. Toen holde ze naar hen toe.

'Wat is er gebeurd? Wat zijn jullie nat! O, Stephan, je been! Jullie zouden toch thuisblijven? Vader, is alles goed met je? Ach, je bent helemaal doorweekt. Wat is er aan de hand?'

Meda wrong haar hand in de zak van haar natte broek. Ze trok de plastic zak tevoorschijn. En voorzichtig pakte ze uit de zak het oude vergeelde papier vol vouwen, dat zo lang in het roze spaarvarken van oom Isak had gezeten.

'Het recept,' zei ze plechtig. 'We hebben het gevonden.'

Albrecht gaf een schreeuw. 'Echt waar?'

'Kijk maar, hier is het!'

En toen begonnen ze alledrie door elkaar te praten.

'Het zat in het spaarvarken van oom Isak, papa,' zei Meda.

'Ik heb dat mens van die Van-Putten-Zoetwarenfabriek de rivier in gedonderd,' riep opa triomfantelijk.

'Ik ben van de oude brug afgevallen,' zei Stephan. 'Hebben jullie hier een verbandje of zo?'

De directeur beet de babbelaar tot gruis en slikte met een hard geluid. 'Mag ik dat recept even zien?' vroeg hij.

Albrecht pakte het aan van Meda en gaf het. De directeur ging ermee naar opa en liet hem ernaar kijken. 'Meneer Van Gent,' zei hij. 'Kunt u bevestigen dat dit inderdaad het originele zuchtjes recept is?'

Opa keek op het papier. Hij bleef even stil zitten. Toen zei hij deftig: 'Meneer, dit is het enige, echte, geheime recept voor de beroemde Van Gent zuchtjes.'

Lieve, Albrecht, Meda en Stephan juichten. De bankdirecteur rechtte zijn rug en lachte. 'Dan zal ik jullie maar gauw geld lenen,' zei hij. 'Want ik wil wel weer eens zo'n zuchtje proeven!'

Goed verstopt

Het fabrieksterrein werd opgeruimd. En binnen in de fabriek repareerde Albrecht alle machines. De ooms en tantes en de vader van Stephan kwamen helpen. Na een maand gleden de eerste broze zuchtjes zachtjes op de lopende band en van daaraf verder in de gloednieuwe ouderwetse trommeltjes.

Op de dag van de feestelijke heropening van de Van Gent Snoepfabriek speelde de fanfare vrolijke liedjes. Op het aangeharkte terrein stond een feesttent vol kleurige ballonnen. Alle ooms en tantes, neefjes en nichtjes van de familie van Gent waren gekomen, en verder zo ongeveer het hele dorp. De vader van Stephan had zijn nette pak aangetrokken en stond met zijn stropdas scheef een biertje te drinken. Juf Natha staarde naar hem. Ze zei tegen Stephan: 'Leuke vader heb jij toch eigenlijk'. En ze bloosde en giechelde zo dat Meda en Stephan elkaar lachend aankeken.

Toen iedereen er was, blies de trompettist van de fanfare een paar schetterende noten. De mensen hielden op met praten en draaiden zich om naar de deur van de fabriek. Boven de deur stond in gloednieuwe, gouden letters:

VAN GENT SNOEPFABRIEK

Daaronder stond de burgemeester met haar ambtsketting om. Ze hield een schaartje in haar ene hand en een zuchtje in haar andere. Opa zat naast haar in zijn rolstoel en bracht ook een zuchtje naar zijn mond.

Het publiek hield de adem in. De burgemeester deed het witte, lichte snoepje in haar mond en zoog. Opa deed hetzelfde. Albrecht stond vlak achter de burgemeester en kneep in Lieves hand. Meda en Stephan kwamen een stap dichterbij om alles beter te kunnen zien.

De burgemeester deed haar ogen dicht.

Opa sperde zijn ogen wijdopen.

Er verscheen een lach op het gezicht van de burgemeester.

Opa lachte hardop. Hij smekte en smakte en likte zijn lippen af. De burgemeester deed haar ogen open. Ze had haar mond leeg. Ze zuchtte diep...

Toen hief ze in een juichend gebaar haar armen omhoog. 'Beste mensen!' riep ze in de microfoon die stond opgesteld. 'Ik knip dit lint meteen door want ik kan niet wachten tot ik een hele trommel vol van deze overheerlijke zuchtjes heb!'

Ze knipte het rode lint door dat in de deuropening hing. Albrecht en Lieve, opa, Meda en Stephan omhelsden elkaar. De ooms en tantes en de rest van het dorp juichten en begonnen naar binnen te drommen om de fabriek te bekijken. Meda en Stephan mochten helpen om babbelaars en zuchtjes te verkopen. Albrecht had ook kaneelkussentjes

gemaakt en witte pepermuntkussentjes met rode streepjes, aardbeienlollies met een zachte vulling, groene smulsmurrie die plakte en siste op je tong, en nog veel meer. Maar de meeste mensen kochten meteen een trommeltje zuchtjes, en daarna pas nog iets anders. Het was zo druk dat zelfs juf Natha kwam helpen.

'En? Mompelt Meda nog steeds?' vroeg Lieve onder het werken. Juf Natha lachte en knipoogde naar Meda.

'Hmm, ze praat al een stuk duidelijker.'

Meda deed of ze niets hoorde.

'Oom Isak zou het wel leuk gevonden hebben dat de fabriek nu weer helemaal mooi is, denk ik,' zei ze even later tegen Lieve.

'Ik denk het ook, schat,' zei Lieve.

'Hij had het juist goed verstopt in zijn oude spaarvarken,' zei Meda. 'Hij vergat per ongeluk waar hij het had verstopt.'

Opa keek naar haar. Hij had het gehoord. 'Je hebt gelijk, Meda,' zei hij. 'Hij had het goed verstopt.'

'Ja, zo goed dat níémand het nog kon vinden,' klonk Albrechts zware stem overal bovenuit.

Meda en Lieve kregen de slappe lach. Iemand van fanfare liet een boer en dat maakte het nog erger. De vader van Stephan begon mee te doen, en op laatst stonden ze allemaal te schudden van het lachen.

Juf Natha kwam aanlopen. 'Eh, meneer, denkt u dat ik met u mee zou kunnen rijden? Ik ben lopend gekomen, maar nu ben ik best wel moe,' zei ze tegen Stephans vader.

Stephans vader knipoogde naar Stephan. 'Wat vind jij daarvan? Mag je juf meerijden?'

'Van mij wel.' Stephan kreeg een kleur. Juf Natha ook. Om haar verlegenheid te verbergen gaf ze iedereen een hand.

'Bedankt voor de hulp,' zei Lieve.

'Nou, dan gaan we maar,' zei Stephans vader.

De fanfare vertrok in twee busjes, toeterend en schreeuwend. Stephans vader reed erachteraan. Stephan zat op de achterbank en zwaaide.

Opa, Meda, Lieve en Albrecht bleven achter. Ze deden de lichten in de fabriek uit. Lieve veegde nog wat vuil over de drempel naar buiten. Ze namen het geld mee dat ze verdiend hadden. Albrecht tilde opa op de voorbank van het bestelwagentje en opa's rolstoel achterin. Meda klom naast Lieve op de achterbank en stak haar arm door die van haar moeder.

Langzaam reed Albrecht het terrein af. Meda en Lieve keken in het voorbijgaan naar de feesttent vol ballonnen en de plastic bekertjes en bordjes die overal lagen. In Meda's haar kleefde nog confetti.

Een ballon raakte los van de tent en waaide over de rivier, over de snackbar en de garage van Stephans vader. Langs de weg, over een wei vol onkruid en een houten huis naar de bosrand, waar twee reeën stonden. De ballon stuiterde even tegen een boomkruin en verdween toen omhoog, de donkere lucht in, die vol sterren was.

Het geheim van Selma Noort

Toen ik tien jaar was hoorde ik mijn vader en moeder praten in de keuken.

'Dus die zus is z'n moeder,' zei mijn moeder. 'En die vader en moeder zijn eigenlijk z'n opa en oma.'

Ik stond stokstijf. Dit ging over Duncan, mijn vriendje, dat kon niet anders. Die had een oude vader en moeder.

Ik stormde de keuken in.

'Is Duncans grote zus eigenlijk zijn echte moeder?'

'Ssst!' zei mijn moeder fronsend. 'Duncan weet dat zelf niet. Hij gelooft dat zijn opa en oma zijn vader en moeder zijn.'

'Maar... Dat is niet eerlijk! Ze moeten hem de waarheid vertellen.'

Ik moest beloven dat ik niets tegen hem zou zeggen.

Ik wilde het niet beloven, maar ze deden streng.

Het zou mijn schuld zijn als hij van streek zou raken.

Het zou mijn schuld zijn als hij van huis zou weglopen of iets anders wanhopigs zou doen.

Ik beloofde het hem niet te vertellen, maar ik vond het verschrikkelijk. Al die grote mensen die glimlachend logen tegen mijn vriendje. Iedereen wist van alles en hij wist nergens van.

Ik kon nooit meer zo fijn met hem spelen als voor ik van het geheim wist. Soms rende ik huilend naar huis. Het was een akelig, oneerlijk geheim.

Ik heb het hem nooit verteld.

Pssst...

Wie heeft de geheim-schrijfwedstrijd gewonnen?
Hoe heet het nieuwste boek?

Met de GEHEIM-nieuwsmail weet jij alles als eerste.

Meld je aan op www.geheimvan.nl

Op de website www.geheimvan.nl kun je:

- meedoen met de schrijfwedstrijd
- schrijftips krijgen van Rindert Kromhout
- alles te weten komen over de GEHEIM-boeken
- je opgeven voor de GEHEIM-nieuwsmail

Selma Noort & Rosa Bosma
Het geheim van het spookhuis

Het is kermis. Valerie gaat voor het eerst naar het spookhuis. Alleen is het oude spookhuis dat zij uitkiest wel heel vreemd. Het is niet open en toch lokken stemmen haar het donker in. Wie is die deftige dame en waarom is ze doorzichtig? David wil er het zijne van weten. Langs het been van een enorme trol klimt hij naar boven...

Rosa Bosma is de winnares van de GEHEIM*-schrijfwedstrijd.*
Selma Noort werkte Rosa's idee uit voor dit boek.
Zie ook www.geheimvan.nl

Hans Kuyper

Het geheim van het Kruitpaleis

Merel en Melle vinden het niet leuk om bij opa te logeren.
Maar gelukkig kun je prachtig spelen bij de kruitfabriek.
Verboden terrein! Merel en Melle zagen een gat in het hek en
vinden er spannende dingen: een vervallen huisje,
een handgranaat en oude liefdesbrieven.
Alles gaat prima in het Kruitpaleis. Totdat ze worden ontdekt...